一億円の絵を
買える人たちになりたいか。
一億円の絵を
味わえる人になりたいか。

中谷彰宏

あきひろ

この本は、
3人のために
書きました。

1
気品のある人は何が違うのか、
知りたい人。

2
どうしたら気品を
身につけることができるのか、
知りたい人。

3
芸術を日常生活に取り入れて、
楽しみたい人。

01

プロローグ

美術館に行くと、姿勢がよくなる。

上流階級の家では、子どもたちを美術館に行かせる習慣があります。

美術館に行くことによって、子どもたちの姿勢がよくなります。

美術館で姿勢の矯正をしているわけではありません。

これには2つの理由があります。

1つは、美術で描かれる神様や王侯貴族は、威厳と気品を示すために姿勢よく描かれます。

王の姿勢を見ているだけで、「自分もきちんとしないと」と子どもも感じます。

大人も自分の姿勢が鏡を通して写るように、ミラー効果で姿勢がよくなっていくのです。

すべての人が、神様や王侯貴族に出会うことはできません。

神様と王侯貴族に対面する疑似体験ができる場が、美術館です。

もう1つの理由は、**美術館に来ている人の姿勢がいいので、それを見て自分も姿勢がよくなるのです。**

人気の展覧会には行列ができています。

そこに並ぶ人は、

① TVで人気があると知って来た人

② いつも来ている人

の2通りに分かれます。

いつも来ている人かどうかの見きわめは姿勢のよさです。

美術館に来慣れている人は姿勢がいいので、人とぶつかることはありません。

美術館に来慣れていない人は姿勢が悪いので、しょっちゅう人とぶつかります。
日常でもぶつかっています。
中の構造がわかっているかどうかの問題ではないのです。

姿勢がよくなると、身体感覚や空間認識の感度がよくなって、人とぶつかる前に修正できるようになります。

空間認識の感度が上がると、子どもが勉強ができるようになるのです。
大人も頭の回転が速くなったり、仕事ができるようになります。
美術館は、ただ美術の勉強をするためだけに行くところではないのです。

美術館で大人の気品を身につける工夫

01

王侯貴族の気品に触れよう。

なぜ美術館に通う人は「気品」があるのか。

品格を身につける57の工夫

美術館で大人の気品を身につける57の工夫

なぜ美術館に通う人は「気品」があるのか。　目次

Chapter 2

気品がある人は、イライラしない。

Chapter 3

気品がある人は、暗闇を味わうことができる。

Chapter 4
日常生活で、気品を磨く。

Chapter 5
気品とは、学ぶ姿勢にある。

Chapter 1

なぜ美術館に行く人は気品があるのか。

02

気品のある人にとって、「見苦しいね」と言われるのが、一番痛い。

私は子どものころ、妹や親とケンカをすると、母親に「見苦しいですね」と言われました。

「見苦しいですね」は、言われて痛い言葉です。

それを言われると、子ども心にも「自分はよくないことをしている。見苦しいことだけはしてはいけない」と考えるのです。

世の中の基準は、「正しいか正しくないか」です。

ルールの範囲内では正しくても、「見苦しい」ということはあります。

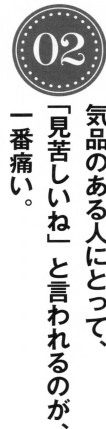

ルールを守っていればOKというわけではないのです。

「見苦しいか見苦しくないか」という基準を持っている人が、気品のある人です。

見苦しいことをしておいて「別に法律違反ではない」と言い張るのは、合法ではあっても気品がないのです。

美術館で大人の気品を身につける工夫

02

見苦しいことをしない。

03
金銭的貧困より、精神的貧困を恐れる。

イサム・ノグチは、十代から彫刻の才能に目覚めました。

レオナルド・ダ・ヴィンチ美術学校では、先生に「ミケランジェロの再来だ」と言われていました。

でも、イサムは古典的な手法には飽き足らず、新しいことに挑戦したくて、パリへ行って前衛彫刻家ブランクーシに学びました。

才能があって基本的なトレーニングを積んでいるので、20代前半ですでに技術的にはでき上がっていました。

ところが、ブランクーシに「君は技術はすぐれているが、精神的に貧困だ」と言われたのです。

これを痛いと感じるのが気品です。


アメリカのフィギュアスケート選手のトーニャ・ハーディングは、技術がすぐれていて技術点で勝っても、芸術点で負けていました。

審査員は、その選手が国を代表するオリンピック選手としての品位があるかどうかを芸術点で見ます。


「技術」と「気品」という2つの基準ポイントがあるのです。

トップの戦いになると、技術では差がつかなくなります。

最後は気品の戦いになるのです。


「精神的に貧困」と言われたイサムは、前衛の彫刻ではなかなか食べていけず、同時に経済的にも貧困でした。

生活のために、仕方なくお金持ちの肖像彫刻の依頼を受けることにしました。

この時諦めなかったおかげで、作曲家ジョージ・ガーシュインの肖像彫刻を依頼されます。

やはりイサム・ノグチは美術の神様に愛されています。

ガーシュインから天才舞踏家マーサ・グラハムにつながり、天才思想家バックミンスター・フラーまでつながります。

1人の芸術家の肖像彫刻をキッカケに、たくさんの芸術家と知り合うことができたのです。

彫刻は、モデルをデッサンしている間は相手と話ができます。

相手は芸術家なので、当然、芸術論や哲学論になります。

イサムは、そこから膨大な思想を得たのです。

アーティストとして、ブレークするのは、芸術家の人脈ができてきた時です。

芸術家のブレークには2段階あります。

1つはパトロンがついた時、もう1つは芸術家の友達ができた時です。

ココ・シャネルも、シャネルのライバルのスキャパレリも、芸術家の仲間ができた瞬間に精神的貧困から精神的豊かさに切りかわって、そこからブレークしていったのです。

どんな仕事をしていても、同じです。

経済的に豊かであろうとなかろうと、まずは精神的貧困を文化的体験で埋めていくことが大切です。

その文化的体験が、芸術であり、美術館なのです。

美術館で大人の気品を身につける工夫

03 精神を豊かにしよう。

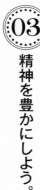

04

「富と権力」から、「美と敬意」に変わる。

仕事をしていると、知らずしらずのうちに「富と権力」の論理に巻き込まれていきます。

「成功したい」という時に、誰もが頭の中に浮かべるのが「富と権力」です。

あらゆる選択が「富と権力」のルールの中でまわり始めます。

いつの間にか、自分の価値軸が「これによって富と権力が得られるかどうか」だけになるのです。

仕事をする時も、その仕事が自分の富と権力を増すことにつながるかどうかが、その仕事をするかしないかの判断基準になっていきます。

自分自身は、そのことに気づかないのです。
「富と権力」は、「マーケティング」という言葉に置きかわります。
「富と権力」という言葉のイヤらしさを消す言葉が「マーケティング」なのです。
美術館にある絵に描かれているのは、「富と権力」を持つ人です。
ただし、描いている人は「美と敬意」で描いています。
私たちは「富と権力」の価値基準に慣れ親しみすぎています。

「富と権力」を「美と敬意」の価値基準に切りかえるチャンスが美術館です。

美術館は、昔は王侯貴族の個人コレクションでした。
やがて19世紀になると、「美術館」という形態の公開システムになりました。
私たちは今、その恩恵を受けることができるのです。

美術館で大人の気品を身につける工夫

04

「美と敬意」を味わおう。

05 違うということがわかると、楽しくなる。

「美術館は苦手」と言う人がいます。

絵画は、まだいいのです。

難しいものの1つが、陶器です。

100均の茶碗と国宝の茶碗の違いがわからないのです。

苦手という人が多いもう1つが刀です。

『刀剣乱舞』の人気で日本刀の展覧会を開くと、行列になります。

京都国立博物館の「京のかたな」展では行列ができて、私も1時間待ちでようやく見ることができました。

通常の展覧会では、刀は5振ぐらいです。

京博の「今日のかたな」展では、刀のみで200振も出展されました。

『刀剣乱舞』ファンは大興奮ですが、刀に慣れていない人にはきついです。

一方で、行列ができて人気だから来たとか、TVで見たから来たという人は、「みんな一緒やな」と言っています。

これは正直な意見です。

美術館では、心の中を正直に吐露するのです。

みんな同じに見えるものは、つまらないのです。

似たように見えるものの中で違いがわかった瞬間に、そのモノの面白さがわかってきます。

気品を身につけるには、体験と勉強の両方が必要です。

体験だけでは、くじけます。

勉強しないと、違いがわかりません。

体験することによって、違いもわかってくるのです。

美術館で大人の気品を身につける工夫

05

同じモノは一つもないことに気づこう。

美術館には一流のものがあります。

国宝や重要文化財が置かれています。

一流のものを見ることで、何が違うかわからなくても、「何か違う」という感覚がついてくるのです。

違いがわかった瞬間に、世の中に同じモノは１つもないことがわかります。

芸術品は、パッと見ると、どれも同じに見えます。

だんだん目が慣れてくると、１つ１つ違うことに気づきます。

それが、そのモノに価値を見出すということです。

価値は「違い」にあります。

違いに気づいた時に、そのモノが面白くなってくるのです。

06

「空気を読む」から、「空気を味わう」ことができるようになる。

大人は、年がら年中、空気を読むことを鍛えられています。
今、お客様は何を言わせようとしているか。
今、上司は何を言わせようとしているか。
今、会議の空気はどちらへ流れているか。
空気に逆らわず、いかにノッていくか。
そんなふうに空気を読むことばかりしているのです。

美術館は空気が違います。

一流の芸術品は、部屋の空気を変えます。

二流の芸術品には、空気を変える力はありません。

一流の芸術品は、大きい部屋にポツンと1作品だけで置かれています。

2作品置くと空気がぶつかり合うからです。

空気の違いは、誰もが美術館以外でも体験しています。

神社仏閣は、敷地内に入るだけで空気がガラッと変わります。

時には「涼しい」、時には「清らか」、時には「厳か」と感じます。

とにかく何か空気が違うのです

一流ホテルに入ると、何か違う空気を感じます。

感じているのは空気の違いです。

ふだんから空気を読むことに慣れすぎている大人は、空気の違いを感じ取れなくなります。

空気を読むのは、頭で考えます。

空気の違いは、体で感じます。

空気を読んでばかりいると、空気を感じる力が弱まってくるのです。

美術についての知識がなくても、「何か空気が違う」と感じる場に行くことで、「ここは空気がよくないから、いたくない」ということがわかってきます。

たとえば、多店舗展開をしている飲食店の社長が、新しくお店を開く物件を見に行きました。

その物件に入った瞬間に、ここに出店するかどうかを決めます。

決め手は、その場の空気です。

データは当てになりません。

当たりとハズレを体験する中で、「立地はいいけど、何か空気が悪い」ということがわかるようになるのです。

流行らないお店は、空気が悪いのです。

そこには空気が悪いことに気づかない人たちが集まっています。

それでますます流行らなくなります。
場の空気を感じる力は、美術館で磨かれるのです。

美術館で大人の気品を身につける工夫

06

美術館の空気を感じよう。

07 カバンは、美術館のロッカーに入れて拝見する。

気品のある人は、美術館慣れしています。

その人が美術館に慣れているかどうかは、ひと目でわかります。

美術館慣れしている人は、美術館で手ぶらです。

美術館慣れしていない人は、荷物を持っています。

美術館で大切なのは、できるだけ空気を感じ取ることです。

大きなカバンを持っていると、感度が鈍ります。

ショルダーバッグを肩にかけたり、両手に紙袋を持ったまま見ていると、感度が鈍るのです。

もう1つは、背中に大きなリュックを背負って、それが美術品に当たって倒したら大変です。

美術品に対するリスペクトをもとにしたマナーや危機管理意識もあるのです。

大きな荷物は、ほかのお客様の邪魔にもなります。

美術館には必ずロッカーがあります。

昔からある庭園ではロッカーがないところもありますが、入口の受付で頼めば荷物を預かってくれます。

荷物を預けるのは敬意のあらわれです。

荷物を持ったまま入るのは、神仏で言えばバチが当たるような不敬なことをしているのです。

美術館で大人の気品を身につける工夫

07 美術品に敬意を示そう。

08

美術館に行くことで、どこでも堂々と入れるようになる。

私は、月に30件、年間365件の美術展に行っています。

美術館に行くようになって、私自身、変わったことがあります。

私は知らない高級店に入るのはどちらかというと苦手でしたが、入るのに抵抗がなくなったのです。

美術館に行くのと同じノリで知らない店に入れるからです。

美術館のルーツは、貴族の邸宅です。

お宅ですから、入る時は、「拝見します」「失礼します」「お邪魔します」というのがマナーです。

お店もそれと同じ感覚で入れます。
この時点でフットワークがよくなったのです。

美術館には、堂々と、礼儀正しく、敬意を持って入ることが大切です。

お店の側からすると、恐る恐る来ているわりに礼儀がないのは最悪です。
根本的に、礼儀がないのがいけないのです。
礼儀があれば、堂々と入っていけます。
堂々としていないと、挙動不審で万引きの人と間違われます。
美術館に行くことで、どんなところにも堂々と礼儀正しく入れる根性がつくのです。

美術館で大人の気品を身につける工夫

08

堂々と、礼儀正しく入ろう。

09

美しいしぐさは、美しい芸術品だ。見ることで、学べる。

タマラ・ド・レンピッカは、20世紀初頭の女流画家です。

もとはポーランドの貴族の生まれです。

学校の勉強が嫌いで、学校をサボってローマのママのところに遊びに行っていました。

ローマは街じゅうが芸術品です。

そこらじゅうに凄い美術館があります。

ギリシャ・ローマ・ルネサンスの古典美術が全部集まっているところが遊び場だったのです。

その後、サンクトペテルブルクに住むおばさんのところにも行きました。

貴族は、親戚が当たり前のように文化的なところに住んでいます。

国内にとどまっていないのです。

おばさんは社交界に生きる人で、生活として美術館に行ったり、オペラに行ったりする生活をしていました。

そうしているうちに、タマラは、10代で「自分は美しいものを見て生きていこう」と決めたのです。

オペラへ行って上流階級の人たちと社交すると、美しいしぐさに出会えます。

絵画や彫刻だけが芸術品ではありません。

しぐさも、美しい芸術です。


たとえば、一流のワイナリーでワインをつくる人は、しぐさが美しいのです。

茶道も、しぐさが美しいです。

茶道は、おいしいお茶をたてることが目的ではありません。

いかに美しいしぐさでお茶をたてて、美しいしぐさで味わわせていただくかというのが茶道なのです。

美術館に行くことで、美しいしぐさを学ぶことができます。

自分のしぐさは、自分が所属している人たちのしぐさと同じです。

そこに所属している限り、なんの不具合もありません。

もっと上流のクラスに行きたければ、上流のクラスの美しいしぐさを身につける必要があります。

しぐさが違うと、「来てはいけない人が混じっている」と、バレてしまうからです。

美しいしぐさは、マナーの本には書き切れません。

見て、体で感じて覚えていくものです。

本やネットで覚えようとしても、覚えられない世界なのです。

美術館で大人の気品を身につける工夫

09 美しいしぐさを見よう。

Chapter 2

気品がある人は、イライラしない。

10 身振りは、抑制がきいていない。しぐさは、抑制がきいている。

歩く・立つ・座る・渡すなど、すべての動作に「身振り」と「しぐさ」があります。

感情のおもむくままに動くのが、身振りです。

どんなに興奮していても、それをグッと抑えられるのが、しぐさです。

感情に振りまわされている時点で、すでに気品はありません。

気品のある人は感情に振りまわされないので、身振りではなくしぐさになるのです。

自分がどちらをしているか、常に意識することが大切なのです。

美術館で大人の気品を身につける工夫 10

感情に、振りまわされない。

11 ガッツポーズをしないことで、メンタルが強くなる。

剣道は、一本取った後にガッツポーズをしたら無効になります。

理由は2つです。

①ガッツポーズをした瞬間に油断が生まれて、相手に切られるからです。

剣道は真剣を竹刀にかえただけの切り合いなのです。

②ガッツポーズをすることで、負けた相手への敬意を失うことになるからです。

これが「武道」と「スポーツ」との違いです。

気品のある人は武道になります。

日本の武道は、外国ではスポーツに変わります。

勝ち負けにこだわるので、勝った時はガッツポーズです。
もはや武道ではなく、競技です。
競技は、勝ち負けが先行します。
武道は、美しさと敬意が先行します。
いかに2人でいい試合をするかということが、武道では一番大切です。
いい試合ができたら、両者勝ちです。
いい試合ができなければ、両者負けです。
ガッツポーズの本来の意味は、
① 相手に対する示威行為
② 自分自身への鼓舞
③ サポーターに対するアピール行為
の3つです。

桑田選手・清原選手のKKコンビがいたころのPL学園は最強でした。

美術館で大人の気品を身につける工夫

11 ガッツポーズしない。

その時の監督が中村順司監督です。

中村監督は「ガッツポーズをしないように」と指導していました。

道徳教育というだけではありません。

しない方が対戦相手が怖がるからです。

ガッツポーズをしないことで、「勝つのは当然」という雰囲気が出ます。

相手を呑みたいと思ったら、ガッツポーズはしない方がいいのです。

ガッツポーズをしている時点で喜んでいるので、相手には「ひょっとしたら、ビクビクしていたんじゃないの」と思われます。

ガッツポーズを抑制する方がメンタル的に強くなります。

武道の試合では、美と敬意を見に行きます。

力や技術、勝ち負けを見に行くわけでは決してないのです。

12

一流の彫刻家は、加工の難しい石を選ぶ。

イサム・ノグチは、世界中をまわった後、最終的に香川県の石工の町・牟礼に行って、石の彫刻をつくりました。

その際、イサムは、できるだけ硬い石を選びました。

硬い石は彫刻には不向きです。

割ろうとしても、思ったところで割れてくれません。

イサムは、ブランクーシから「一発勝負で臨め。練習のつもりでやるな」と仕込まれました。

あえて加工の難しい硬い石でチャレンジして、いい作品をつくったのです。

大理石を彫っていくと、黒い斑点が出てくることがあります。
その時点で、ミケランジェロは石を変えてつくり直します。
これがヨーロッパ人の完璧性です。
日本人の感覚としては、黒い斑点は、むしろ味になります。
イサムも、アクシデントを生かすという考え方でした。

美術館に行くと、仕事に対する姿勢を学ぶことができます。

年齢が進むにつれて、仕事はだんだん選べるようになります。
簡単な仕事と難しい仕事が見えてくるので、簡単な方をさっと取れるようになるのです。

ラクな仕事ばかり取っていると、その人は気品がなくなります。

気品のある人は、あえて難しい方を選びます。
これが芸術家の生き方です。
どんな仕事も難しいのです。

だからこそ、普通の人は少しでもラクな方を選ぼうとします。
一方で、「どうせ難しいのだから、とことん難しい方を選ぶ」というのが芸術家の生きざまなのです。

美術館で大人の気品を身につける工夫

12 効率より、手間のかかる方を選ぼう。

13 芸術作品を通して、芸術家の生きざまを学ぶ。

岡本太郎さんは、二等兵だった時に上官から殴られました。
1チーム7人全員の連帯責任で、順番に上官に殴られていくのです。
太郎さんは、何番目が一番痛くて、何番目が痛くないのかを観察しました。
1番目は、上官はまだ調子が出ていません。
2番目は、調子が出てきます。
3番目は、もっと調子が出てきます。
4番目は、一番痛いです。
5番目は、少し痛くなくなります。

6番目、7番目は、疲れてくるので、どんどん痛くなくなるのです。
ここで岡本さんは4番目をとりました。
私は最初、「岡本太郎は仲間思いだな」と思いました。
違うことに気づきました。
岡本さんは芸術家だったのです。

「どうせ痛いなら、一番痛いところを味わわせてくれ」というのが、芸術家です。
美術館に行くと、芸術家の生き様を学ぶことができるのです。

美術館で大人の気品を身につける工夫

13

一番痛いところを味わおう。

14 江戸は、世界に冠たる庭園都市だ。

東京に住んでいると、日本は外国に比べて公園が少ないと思いがちです。
それは勘違いです。
東京にも公園がたくさんあります。
特に、江戸時代は大名屋敷がありました。
参勤交代があるので、大名は1年ごとに江戸に住む屋敷を持っていたのです。
大名が住む屋敷のほかに、お客様や家来が住む屋敷、大名の江戸の別荘もあります。
上屋敷・中屋敷・下屋敷があるのです。
300藩あるので、掛ける3で、900か所です。

さらには、徳川家や旗本の屋敷もあります。
江戸の面積の半分が大名庭園です。
江戸は世界に冠たる庭園都市だったのです。

明治になると、大名庭園は財閥が継承しました。
その中には、今日まで残っているものもたくさんあります。
皇居だけが庭園ではありません。
大名庭園は、江戸だけではなく、地方にもあります。
江戸時代は文化が爛熟した時代です。
鎖国をしているので、海外とも戦争はしないし、国内でも戦争がないのです。
一国一城令でお城をつくることはできません。
大名は庭園をつくり、文化で競い合ったのです。

美術館で大人の気品を身につける工夫

14 文化で競い合おう。

15 大名庭園に行くと、癒やされ、アイデアが湧いてくる。

大名は、常にお取りつぶしの危機と戦っていました。
時代劇で一番怖いのは、幕府ににらまれて、お取りつぶしになることです。
お取りつぶしをいかに避けるかで、常に緊張の連続です。
財政赤字も抱えている。
決断するのは、大名1人です。
いつも追い詰められているのです。
追い詰められたリーダーが心を癒やし、決断できる場所が庭園です。
そのために大名庭園があるのです。

もう1つ怖いのは、お世継ぎが生まれないことです。

そのために側室をたくさん持つのです。

ところが、ストレスがかかると、お世継ぎどころではなくなります。

お殿様でも現代人でも、同じです。

大名は藩のトップです。

代々続いてきたお家を断絶させるわけにはいかないのです。

庭園を歩くと、なぜかお世継ぎが生まれます。

人間の動物本能が目覚めるからです。


今日残っている庭園は、現代人のストレスを癒やし、動物的本能を目覚めさせてくれます。

現代は、あらゆるモノが便利で人工的なものになっています。

自然のリズムを取り戻すことで、生きる活力につながります。

それが庭園の役割なのです。

大名庭園には、「心字池」といって、「心」という字の形につくった池があります。

その池をめぐって歩く「池泉回遊式庭園」が基本の構造です。

京都の庭園が「枯山水」なのは、水がなくて池をつくれないからです。

もともと湿地帯だった江戸は、池をつくれます。

江戸は水道インフラもできていたので、河川から水を引けるというぜいたくがありました。

海から水を引いたのが浜離宮です。

広さを求めて水をまわれる形をつくったのです。

気品のある人は、見るだけでなく、池のまわりをまわります。

池のまわりをまわると、すべてのアングルで景色が変わります。

数歩歩くだけで、まったく違う景色が見えてくるようにできているのです。

気品のない人は、入口の方のアングルだけを見て、写真を撮ってフェイスブックにアップするという形で帰ってしまいます。

味わい尽くせる人が、気品のある人なのです。

美術館で大人の気品を身につける工夫

15

庭園を歩こう。

16 職人さんにリスペクトがある人は、「高い」と言わない。

一流ブランドショップには、
① 気品のある人
② 気品のない人
の2通りの人が来ます。

気品のある人は、「美と敬意」で生きています。

気品のない人は、「富と権力」で生きています。

「私はお金を持っている」「プラチナカードで買います」「一番高いのを持ってきて」

そんなことを言う人も、たくさんいます。

気品があるかどうかは、購入する商品の値段では差がつきません。
値段に対しての態度で差が付きます。

気品のある人は、高いとか言わないのです。
高いと感じたら買わないだけのことです。

態度の差が一番出るのがメンテナンスです。
時計をオーバーホールに出した時に、気品のない人は見積りを見て「高い」と言うのです。

気品のない人は、その作品をつくった職人さんの技術に対してリスペクトがありません。

その作品をつくった職人さんの技術力に対して敬意があれば、「高い」という発言は出ないのです。

「富と権力」志向の人は、お金を持っているわりには、メンテナンスに対して「高い」と感じます。

「最初に自分がお金を払って買ったのだから、これ以上払う必要はないだろう」という感覚なので、オーバーホールに対して「ぼったくり」と言うのです。

「ぼったくり」と言う人には、残念ながら「美と敬意」がないのです。


「富と権力」と「美と敬意」は、2つの大きな道に分かれています。

自分がどちらで生きていくかです。

「富と権力」は、魅力的です。

学校で道徳を教わっていても、つい「富と権力」のスタンスになってしまいます。

「美と敬意」の大切さを教えてくれるのが美学です。

イギリスのオックスフォード大学とケンブリッジ大学、アメリカのハーバード大学のグループでは、政治家になる人間も、弁護士になる人間も、数学者になる人間も、美学は必修科目です。

美学を勉強しないと、「富と権力」へ走って行き詰まるからです。

映画は、「富と権力を持つ人間」VS「美と敬意を持つ人間」の戦いになります。

一見「善」VS「悪」ですが、実際は「善」VS「善」です。

「富と権力を善とする人」VS「美と敬意を善とする人」の戦いになるのです。

秀吉VS利休の戦いになるのです。

「美と敬意」を学びたいなら、簡単な見分け方は一流ブランドショップのリペアコーナーです。

そこで「ぼったくり」と言う人は、「見苦しい」のです。

美術館で大人の気品を身につける工夫
16
「ぼったくり」と言わない。

17 修理に時間をかけてもらえることに、感謝できる。

一流ブランドは、修理に時間がかかります。

気品のない人は、「いつまでにできますか」と聞きます。

次の言葉も決まっています。

「遅い。なんでそんなに時間がかかるの？」と、怒るのです。

気品のある人は、「いつまでにできますか」とは聞きません。

「半年ぐらいお時間いただけますか」と言われても、「遅い」と言うかわりに、「そんなに丁寧に見てもらえるんですか。ありがとうございます」と言うのです。

一流ブランドは、平等です。

礼儀には礼儀、無礼には無礼で返します。

「遅い」と言った人は、もっと後まわしにされます。

気品のない人は後まわしにされていることに気づいていません。

「そんなに時間をかけてもらえるんですか」と言う人は先にしてもらえます。

いい具合に気品のある人とない人の2通りいるので、知らないうちに入れかえられているのです。

美術館で大人の気品を身につける工夫

17

「遅い」と言わない。

18 部分だけを直してもらうのは、職人さんへのリスペクトがない。

気品のある人は、大切に使いたい愛用品を調子が悪くなくても定期的にオーバーホールに持ってきます。

気品のない人は、外から見て傷が入っていたり、どこかが取れた時だけ持ってきます。

この違いがあるのです。

「中が壊れていても、外からわからなければいい」というのは、職人さんとしては納得いかないのです。

自分の作品は完璧であって欲しいからです。

目立つところだけ直して、目立たないところは直さなくていいというのは、不本意です。

だからといって、勝手に直すと気品のない人に文句を言われます。

職人さんは「この人の依頼は受けたくないな」という気持ちが湧いてきます。

時計が壊れて止まっていることがあります。

高性能なものであるほど、半永久ではないのです。

たった1つ部品が壊れただけで動かなくなります。

時計は金属のバネと歯車で動いています。

心臓が動いているように、トクトク、トクトク鳴っているのです。

岩手県雫石に、高級機械式時計の工房があります。

止まっている時計を解体して、修理してもう一回セットした時に、そのバネがトクトク、トクトクと打ち始めます。

その瞬間、命がよみがえった時のような感動があるのです。

気品のない人は、「竜頭が取れたから、竜頭だけつけてくれる?」と言います。

時計屋さんが「中もオーバーホールしておきましょう」と言うと、「またまたそんなことしてぼったくろうと思って」という対応をしてしまいます。

職人さんに対するリスペクトが、まったくないのです。

芸術家は職人です。

「芸術家」という名前ができたのは、ここ100年ぐらいです。

それ以前は、スポンサーの依頼でつくるだけなので、署名もしなければ、タイトルもつけませんでした。

美術品を見に行くと、職人に対するリスペクトが生まれます。

私の実家は染物業なので、職人さんへのリスペクトを学ばせるために、父親は僕を子どものころから美術館へ連れて行ってくれたのです。

美術館で大人の気品を身につける工夫

18 不具合がなくても、オーバーホールしてもらおう。

19

キャパが広がり、多様性に寛大になる。

全国には美術館と博物館が大小5700もあります。

それぞれが毎日いろいろな企画をしています。

美術館に行かない人は、「自分の好きな展示をなかなかやってくれない」と言っています。

美術館は、好きなモノを見に行く場所ではありません。

自分が今まで知らなかった好きなモノに出会いに行く場所です。

知っている好きなモノに出会おうとするのは、ネットの検索と同じ感覚です。

ここで食わず嫌いが起こります。

好きなものの幅がどんどん狭まって、美術館に行く習慣がさらになくなるのです。

好き嫌い関係なく、たまたま通りかかったところで何かやっていたから、行ってみることです。

電車の中吊り広告を見て、沿線で何かやっているとわかったら、新幹線に乗って行ってみます。

そんなに期待なしにぶらりと行くとなかなか面白いのです。

「わけがわからない」というリアクションでもいいのです。

わけのわからないものに出会う体験が、その人のキャパをつくります。

美術でキャパができると、人間に対してのキャパも広がります。

自分が理解できない人と出会った時に、「世の中には、いろいろな人間がいるんだな」と、寛容に接することができるのです。

自分の正しさだけが正しいのではありません。

世の中には、いろいろな「正しい」「面白い」「美しい」があります。

「知らなかったけど、なんだろう」というところからキャパが広がって、それがその人の器になります。

興味のある展覧会にだけ行っていると、その人の器はどんどん小さくなるのです。

器は伸び縮みします。

大切なのは、「何かやっているから、行ってみた」という感覚です。

「並んでいるから、並んでみた」でも「空いているから、入ってみた」でもいいのです。

そこから、その人の人生は一気に広がります。

美術館に行って広がるのは、美術の感覚ではなく、その人の人間としてのキャパなのです。

美術館で大人の気品を身につける工夫

19 興味のない展覧会に行ってみよう。

Chapter 3

気品がある人は、
暗闇を味わうことができる。

20

お皿を見ることで、板前さんと仲よくなれる。

気品のない人は、一流料理店の常連になって、連れの女性に自慢したいのです。

一番高い料理を頼んで、たくさんお金を使ったら、お店の人に覚えてもらえるかというと、好かれるわけではありません。

板前さんも、料理人である前に1人の人間なので、好き嫌いがあります。

好きなお客様には、おいしいところを出してくれます。

職人さんに好かれる人は、職人さんのこだわっているところにリスペクトを持つ人です。

料理に関しては、「おいしい」はカウンターに8人お客さんがいたら、8人全員が言います。

その時、「器がいいですね」と言える人が、好かれる1人になれる人です。

一流店は器にこだわっているのに、誰も器を見てくれません。

「あっ、大トロだな」と、つい食べ物の方を見てしまいます。

飢餓と戦ってきた原始時代からの人間の悲しい性《さが》です。

器は食べられませんが、料理は食べられます。

自分が生き延びるためには、まず、食べることが大切なのです。

生存本能よりも「美」に対する興味が湧いてくると、自然に器に目が行くようになります。

器をほめる人は、料理も同時にほめていることになります。

器込みで「料理」だからです。

特に日本料理店では、器のコストが高いのです。

器を保存するコストもかかります。

日本の器は積み重ねられないので、かさばるのです。

食材原価以上に器にお金をかけているのです。

にもかかわらず器を見る人が少ないのです。

器を見てくれる人がいたら、「わかってくれる人が、やっと出てきた」と、板前さんはうれしくなります。

美術館で大人の気品を身につける工夫

20 料理の前に、器を見よう。

21 部分の名前を覚えることで、芸術品と仲よくなれる。

器をほめると言っても、「唐津なのか備前なのかを見分けるのは難しい」と言います。

わからない時は、お皿の名称を覚えればいいのです。

これは入門編で、誰でもわかります。

たとえば、お造りとかが載っている扇型のお皿（扇皿）が出てきたら、「ご主人、いい扇ですね」と言います。

四角がズレた形になっているお皿が出てきたら、「ご主人、この角違い皿、素敵ですね」と言うのです。

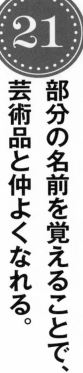

それだけで、お店の人に「このお客様は、気がついてくれた」と喜んでもらえます。

オクラとかホウレンソウのおひたしなど、お通しを入れるお皿で、切れ耳が入っているような形のお皿があります。

あれは「割山椒」といって、山椒の実が割れたような形になっています。

一番最初に出てきたお皿をほめると、後から出てくるネタも変わってきます。


仏像でも刀でも器でも、芸術品にはすべて名称があります。

名称を覚えることで、そのモノと仲よくなれます。

人間と人間との出会いと同じです。

人の名前を覚えることで、覚えてもらった人もその人の名前を覚えます。

これで仲よくなっていくのです。

仲がいいのに名前を知らないというのは、ありえません。

名称を覚えることで、ルールもわかるようになります。

「ペナルティーエリア」という名称を知っているから、サッカーのルールがわかるの

美術館で大人の気品を身につける工夫

21 名称を覚えよう。

ルールの前に、まずは名称を覚えることです。

美術館の音声ガイドは、名称は知っているものとして説明が展開します。

茶器を見る時に、「『見込み』のところをごらんください」と言われます。

名称を知らないと、どこを見ていいかわかりません。

名称を知らない説明はスルーしてしまいます。

「そんなこと言ってましたっけ」ということになります。

面白いところをスルーしてしまうのです。

名称を知らないと、「ほら、あるじゃない、持つとこ」とか「ほら、なんとなく花びらみたいに割れてるやつ」という表現になります。

「とこ」や「やつ」を名称に変えると、そのモノから愛されるのです。


です。

22
待つことで、器が大きくなる。

美術館で人気の企画には行列ができます。

3時間待ち、4時間待ちのこともあります。

特に後半は混んでいます。

上野の森美術館のフェルメール展は、2時間ごとの予約制でした。

3時の回を買って行くと、行列ができています。

こういう時は、気品のない人が出てきてくれるので助かります。

「時間予約券を買っているのに、なんで並ばなあかんねん」と、怒っている人がいるのです。

その人を見ていると、「いやいや、それは並ぼうよ」と、余裕が出ます。

気品のない人がいることが、自分が気品のある人になれるチャンスです。

本当はアムステルダムまで行かなければ見られないフェルメールを、たかだか30分か1時間並ぶだけで見られるのです。

並んで待つことができるのが大人です。

世の中がだんだん便利になると、待ったり並んだりができなくなっていくのです。


列の中でも2通りの人に分かれます。

気品のある人は、「みんながこんなに並んでいるものを見られてよかった」と、ニコニコしています。

気品のない人は、ギスギスしてきます。

列が折れ曲がるところでは、何列かで並んでいると順番が前後したりします。

ここで「コラッ、おまえは後ろだろう」と怒鳴っている気品のない人がいるのです。

この人は美術館にあまり来たことがない人だとわかります。

美術館で並ぶことによって、並ぶマナーが身につきます。
怒鳴っている人は、できるだけ前に行かせます。
気品のない人から離れて、ギスギスがうつらないようにした方がいいのです。

美術館で大人の気品を身につける工夫

22 並ぶことを、楽しもう。

23

気品のある人は、常設展を見る。

展示には、企画展と常設展の2つがあります。

企画展は大行列なのに、常設展はガラガラです。

気品のある人は常設展を見ています。

東京国立博物館でも、京都国立博物館でも、国宝展には人が集まります。

実は、その作品は常設展にあったものです。

ふだんから来ている人は、すいているところで、ゆっくり見ているのです。

企画展だけ見て、「常設展はいつでもやっているから」と言って見ないで帰るのは、気品のない人の見方です。

美術館で大人の気品を身につける工夫

23

企画展より、常設展を味わおう。

常設展を見るか見ないかで、気品のある人とない人が分かれるのです。

時には館長さんが自ら説明してくれたりします。

美術館の学芸員さんや館長さんと仲よくなりたいなら、ガラガラの常設展を見に行きます。

美術館としては、自分たちが所蔵しているものを見て欲しいのです。

企画展は、借りてきた作品です。

常設展は、その美術館が所蔵している作品です。

常設展をいかに味わうかです。

ふだん常設展を見ていれば、混んでいる中、必死になって見なくてもいいのです。

24

自分の仕事よりも、もっと大変な仕事があることに気づける。

気品のない人は、

「自分が世の中で一番忙しい」

「ほかのヤツらは自分よりはるかにラクな仕事をして、ラクに収入を得ている」

「なんで自分だけがこんなに苦労しなければいけないんだ」

と怒っています。

これが気品のなさにつながります。

美術館に行くと、「こんな凄いことをする人がいる」ということを目の当たりにします。

建築家・安藤忠雄さんは、「『こんなん、ようやるなあ』というところからが建築」と言います。

まさに、それが芸術です。

「これはできないよね」と思うぐらいビックリするようなことをするのです。

吉村芳生という現代画家がいます。

吉村は新聞に自分の肖像画を描きました。

実は新聞も手書きです。

記事もすべて自分の手で丸写ししているのです。

それが何百枚もあります。

「365日の自画像」という作品集では、背景がさまざまです。

「この人は毎朝いろんなところで写真を撮っているんだな。これも芸術作品としては面白いな」と思って見ていました。

よく見ると、手書きのリアリズムの細密画です。

それが365日×3年分あるのです。
その他に「1000枚の自画像」というのもあります。
画家は、モデル代が払えない時に自画像で練習します。
吉村は、パリでも自画像を描いています。
パリでしか描けない自画像があると言うのです。
「ようやるなあ」なのです。
工芸品は、1ミリの花びらなんて、どうやってつくるんだと驚かされます。
「それに比べたら、自分の仕事はまだラクだな」という気持ちになります。
「自分より大変な仕事をしている人がいる」という謙虚さが、気品につながるのです。

美術館で大人の気品を身につける工夫

24 大変な仕事をしている人がいることに、気づこう。

25

芸術品を見に行くのではない。見られに行くのだ。

敬意の一番崇高な形が、祈りです。

祈りと敬意は、１つのことです。

特定の宗教を持たなくても、敬意は持っておくようにします。

西洋人が宗教を持つのは、「富と権力」という競争社会に生きているからです。

住んでいる環境も厳しいのです。

冷寒地や砂漠で生き延びるためには、「富と権力」が必要になります。

奪い合いが起きた時に、それを制御するために神が必要なのです。

温暖なモンスーン気候の日本では。そこまでは追い込まれていません。

だから、なんとなく無宗教的になりやすいのです。

無宗教は自由ですが、無敬意では気品がなくなります。

敬意が寄り集まったものが「祈り」という形になるのです。


仏像を前にすると、自ずと反省します。

見透かされたような気がするのです。

子どものころは、何か悪いことをした時に、親にバレているのではないかと心配したものです。

この気持ちが、人間を謙虚にします。

すべてを自分1人でしているわけではないと気づくのです。

仏像の前では、「ここでラクしようとしました」と、反省できます。

お墓参りに行くと、いいことが起こります。

運が向いてきたからではありません。

ご先祖様の前に行くと、「すべて見透かされている」と思って反省します。

謙虚になって帰ってくるから、後のことがうまくいくのです。

神社やお寺をお参りした後にうまくいくのは、お賽銭の御利益ではありません。

自分自身が謙虚になれたからです。

美術館に行くと、お参りと同じことが起こります。

神社仏閣や教会が美術館だったのです。西洋絵画ではキリスト教の絵画があります。

仏画があったり、ギリシャ神話の絵画もあります。

芸術品を前にすると、人間はまず、「凄いな」と感じます。

次に「ごめんなさい」という気持ちが心の中に湧いてきます。

敬意を持つことで、初めて謙虚が生まれます。

謙虚になることで、敬意を持てるようになり、人間関係も仕事もうまくつながるようになるのです。

美術館で大人の気品を身につける工夫

25 芸術品に見られに行こう。

26

気品のある人は、暗闇を味わえる。ライトアップの暗さを味わうことができる。

京都に行くと、桜や紅葉のシーズンに、お寺が夜間のライトアップをしています。

東京でも、大名庭園の夜間ライトアップがあります。

ライトアップには、大ぜいの人が集まります。

人が大勢集まると、気品のある人とない人の両方がいるのです。

気品のない人からは、面白いぐらいベタな声が出てきます。

「暗っ。ライトアップや言うたのに」と言うのです。

この人は「ライトアップ」と「イルミネーション」の区別がついていません。

煌々《こうこう》と明るいのがイルミネーションです。

暗さを味わうのがライトアップです。

東京でも、ライトアップに行くと、想像以上に暗くて足もとが見えないのです。

大名庭園は、すぐそばに池があります。

うかうかしていると、はまってしまいます。

庭園管理をしている東京都の人は勇気があります。

「危ないのでライトをつけましょう」と会議で言わないのは、それだけ覚悟があるということです。

少しでもライトをつけたら、せっかくの暗闇を味わえなくなるからです。

東京都内で夜景がきれいなのは、ビルで埋め尽くされてはいないところです。

大手町の高層ビル街に煌々《こうこう》とライトがついているところの横に、真っ暗な皇居があるのです。

これがきれいです。

あれが全部高層ビルだったら、オシャレでなくなります。

ニューヨークも、セントラルパークがあるから、その横の高層ビルがきれいに見えるのです。

現代社会の都会で一番ぜいたくなものは暗闇です。

最初は「想像していたより暗いな」と感じるはずです。

ホームページには、きれいな画像が載っています。

きれいですが、まるで絵はがきです。

自分の目で見ると、暗闇の中で瞳孔が開いて猫の目になって、暗かったものが次第に明るく見えてきます。

自分の目でライトアップすることが、気品のある人のライトアップの味わい方なのです。

美術館で大人の気品を身につける工夫

26

自分の目でライトアップしよう。

27

「暗闇の部屋」でライトアップを体験する。

瀬戸内海の直島に、安藤忠雄さんとジェームズ・タレルさんが設計した「暗闇の部屋・南寺」があります。

真っ暗な中に入っていって、ゆっくり小刻みに歩いていきます。

「右手の方に椅子がありますから、座ってください」と言われて座ると、よそのオジサンの手に触ってしまいます。

そのぐらい暗いのです。

その後、「前の方を見てください」と言われます。

座っているから前がわかるだけで、この真っ暗な中では前も後ろもないのです。

部屋の広さもわからない。

ガイドさんが「うっすら何か見えてきます」と言いました。

10人ずつぐらいでそこに入るのですが、一緒に入った子どもが「見えた」と叫びました。

子どもは目がいいので早く見えるのです。

しばらくすると、うっすらとスクリーンぽいものが前に見えてきます。

ライトがついたわけではありません。

自分の目が調節しているのです。

「ゆっくり前へ歩いていってください」と言われて歩いていくと、だんだんスクリーンのようなものが明るく見えてきます。

人生でも、暗闇の中に明るさを感じるのが気品なのです。

美術館で大人の気品を身につける工夫

27

人生の暗闇の中に、明るさを見つけよう。

28 気品のある人は、静けさを味わえる。

ライトアップで、もう1つ面白い現象がありました。
中谷塾の遠足塾で、塾生をライトアップに連れて行った時のことです。
中谷塾に初めて来た人が「先生、説明とかないんですか」と説明を求めたのです。
初めてなので、味わい方がわからないのです。
いつも来ている塾生は、「先生は今、静けさを教えている」と感じていました。
ここで気品のある人とない人とが分かれます。
気品のない人は、「静けさ」と「沈黙」に耐えられません。

美術館で大人の気品を身につける工夫

28

沈黙を、味わおう。

気品のある人は、「静けさ」と「沈黙」を味わいます。

沈黙しないと、自然のテレパシーは聞こえません。

先生からのテレパシーも聞こえません。

私は「東京都内で、この静けさはどうだ」と、テレパシーで伝えていました。

「なんで説明してくれないんですか」と言う人は、今まで沈黙を味わうことのない生き方をしてきたのです。

29

天守閣より、堀や石垣を味わうことができる。

国宝は約1100件あります。

国宝のうち、建造物は、神社仏閣・お城・家屋に分かれています。

日本は世界に冠たるお城国家です。

300年にわたって、4万ものお城がつくられました。

戦国時代、戦乱、一国一城令、空襲を経て、現在でも天守閣が残っているお城は約100です。

その中で5つの城が国宝です。

現存天守は12城です。

皇居は、旧江戸城です。

皇居を見て「天守閣はないんですか」と言う人がいます。

天守台はありますが、天守閣は失われているのです。

ある城の天守を見た人は、「天守閣、小っちゃ」と言いました。

「天守閣」イコール「お城」だと思っているのです。


お城の予算の7割は、堀と石垣に使っています。

天守閣を見ることが、お城の味わい方ではないのです。

その人が苦労しているところをほめるのが、家ほめの基本です。

お城の勝負は、石垣・お堀・庭園です。

天守閣を見た時に、「お殿様も気の毒だな。これでは不便でしょう」というコメントがよくあります。

階段も急です。

気品のない人は、お殿様がタワーマンションに住んでいたぐらいの感覚なのです。

お殿様は、ふだんは下の本丸御殿に住んでいます。

天守閣は、いざ戦《いくさ》になった時に立てこもるための籠城戦のための櫓《やぐら》です。

天守閣ではなく、石垣・お堀・庭園を味わえるのが、気品があるということです。

職人さんが一番力を入れているのも、石垣・お堀・庭園です。

ＴＶ映えやインスタ映えを考えると、どうしても天守閣だけを見てしまいます。

気品のある人は、インスタ映えしにくい部分を味わえる人です。

お城も１つの美術館です。

写真を人に見せて自慢するものではないのです。

見るためではなく、自分自身が歩きながら味わうことで、気品が身についてくるのです。

美術館で大人の気品を身につける工夫

29 職人さんが力を入れているところを味わおう。

30

芸術は、食堂と同じ。定食・裏メニュー・本日のオススメの組み合わせ。

美術史は莫大で難しそうですが、実は食堂のメニューと同じです。

食堂には、「定番メニュー」「裏メニュー」「本日のオススメ」の3大柱のメニューがあります。

西洋絵画の歴史は、定番メニューはキリスト教、裏メニューはギリシャ神話です。

本日のオススメは、ある時はジャポニズム、ある時はフランドルというふうに、そのつど変わります。

北方フランドルのオランダ文化が入ってきてルネサンスを揺り動かしました。

キリスト教とギリシャ神話がわかれば、西洋絵画は味わえるのです。

歴史の授業では、ローマ時代でも、美術は一番最後に出てきます。

政治と経済をやったらチャイムが鳴って、文化や美術まで行けないのです。

「美術は後で各自読んでおくように」と言われます。

大人になると、逆ができるようになります。

ヨーロッパの美術を勉強することによって、ヨーロッパの歴史がわかります。

日本の美術を勉強することによって、日本の歴史がわかります。

学校では、「政治」→「経済」→「文化」という順番で習いました。

大人になって試験がなくなったら、文化を先に学ぶことによって政治や経済の流れがわかってきます。

美術館に行くと、歴史を学ぶことができるのです。

美術館で大人の気品を身につける工夫

30 美術館で、歴史を学ぼう。

31

漢字は、どこを知らないかを知ることができる。

中谷塾では毎回、ジャンル別に10問だけの漢字の小テストをしています。

これは、単に漢字を知っているかどうかというテストではありません。

読めない漢字は、自分が知らないジャンルの世界です。

「あなたはどのジャンルを知りませんか」という質問は成り立ちません。

自分自身は何を知っているかはわかっても、何を知らないかはわからないからです。

読めない漢字に出会うことによって、「自分はこのジャンルを知らないんだ」とわかるのです。

美術館に行くのも同じです。

いろいろなジャンルの作品を見る中で、「この分野はまったく知らない」「うわ、世の中にはいろんなジャンルがあるんだな」と気づきます。

TVで職人さんが紹介されると、「世の中にはいろんな仕事があるんだな」とわかります。

世の中にはたくさん仕事があるのに、ほとんどの人がTVでCMをしているごく一部の会社しか知らないのです。

世の中にある仕事は、どれが一つ欠けても人々の生活は成り立ちません。

私の実家の染物屋は、染物に漆を使います。

漆は、岩手県の二戸市浄法寺町で生産しています。

漆をとるためには、まず漆の木を20年かけて育てます。

20年育てた木に、ひっかき傷をつけると、木からは、その傷を治すために樹液が出てきます。

これが漆です。

まさに血の一滴なのです。

漆は、1本の木から5カ月かけて200ミリリットル、しかも1回きりしかとれません。

次の漆をとるためには、また新しい木を植えて20年待たないといけないのです。

この傷をつける道具は縄文時代から同じです。

同じ傷をつけた木が縄文時代の遺跡から見つかっています。

1万2000年前の縄文時代も、同じ手法で漆を採取していたということです。

この仕事を「漆搔き」と言います。

日本の国内産の漆がどんどん減って国産はわずか3%です。

日光東照宮や清水寺など国宝クラスの建造物は漆が使われています。

その建造物を修復する時に、日本製の漆が足りないと、修復できません。

漆を搔くための金具をつくる人がいなくなっているのです。

1人の職人がいなくなるだけで、その産業全体がなくなってしまうというぐらいさまざまな仕事があります。
知らない漢字に出会うことによって、自分が知っている世界がどれほど狭いかがわかるのです。

美術館で大人の気品を身につける工夫

31

知らない漢字で、知らない分野に気づこう。

Chapter 4

日常生活で、気品を磨く。

32

花ではなく、葉を味わう。

お花の選び方で、その人の気品がわかります。

気品のない人は、花で勝負しようとします。

気品のある人は、葉で勝負します。

もっと気品のある人は、枝で勝負します。

葉や枝を味わえる人ほど、美意識が高いのです。

気品のある人は、葉や枝を見て「うわ、いいの持ってきたね」と喜びます。

花びらがついた花を持ってきた人は、「この人は、葉や枝の味わいを知らないんだな」と思われます。

美術館で大人の気品を身につける工夫

32 枝を味わおう。

花と言えば、ほとんどの人は花びらがついているものだと思っているのです。
写真撮影ＯＫの生け花展に行くと、大ぜいの人が花の前で撮ります。
あまり人が集まっていないのが枝系です。
葉っぱ系や枝系になると、どんどん人が減っていくのです。
本来は、葉や枝になればなるほど格が上です。
葉や枝を味わえるかどうかで、気品のある人とない人とに分かれていくのです。

33 照明に、敏感になれる。

仏像は、最近の展覧会ではライトが下から当たっています。

昔の建築物では、上から照明が当たることはありません。

天平時代や藤原時代も、すべて下にロウソクがありました。

ロウソクの火が上に上がるので、上には照明道具をつけられないのです。

そのことを前提にすると、仏像は下からのライティングが基準になります。

昼間の上からの太陽の照明と下から当てたローソクの照明とでは、表情がまったく違います。

違う仏像に見えるほどです。

屏風絵も、昔は天井照明がありませんでした。

京都の町屋に行くと、夏の日差しを避けるために窓が低くなっています。

そうすると、光はほぼ水平にしか入りません。

昼間でも上からは光が入ってこない状態です。

夜にライトを置くと、屏風に描かれた絵が3Dで飛び出して見えるのです。

キンキンに明るい近代的な部屋での生活に慣れていると、自然照明や障子越しのやわらかい光や、ロウソクの揺れ動く明かりの味わいがわからなくなってしまいます。

西洋社会は、間接照明の世界です。

教会は、暗い中、ステンドグラスやロウソクの光でマリア様を拝むことでありがたい気持ちになれるのです。


気品のある人は、照明に対して、「明るい方がいいんだ」とは考えないのです。

美術館で大人の気品を身につける工夫

33

下からの照明を味わおう。

34

気品のある人は、扇を、冬でも味わうことができる。

日本で最初の輸出品は扇です。

浮世絵、伊万里焼が輸出されたのは江戸時代です。

扇は、平安時代に中国に輸出しているのです。

もともと団扇は中国で発明されました。

日本の凄さは、コンパクトに折り畳む仕組みの扇をつくったことです。

扇に絵を描いて折り畳むというコンパクト化に成功したことによって、携帯しやすくなりました。


芸術品を携帯する習慣を持ったのです。

貴族は、金箔を貼ったぜいたく品を川に流すというぜいたくな遊びを始めました。

日本人は、大切なモノを川に流して手放すことに再生への祈りを感じたのです。

扇の国宝は、厳島神社・熱田神宮・熊野速玉神社にあります。

扇がご神体です。

応援団は学ランを着て扇を持って応援しています。

扇は、ハリーポッターの杖のように魂を鼓舞する魔術的道具だからです。

だからこそ、鏡と同じように、扇はご神体になるのです。

ご神体は敬意の塊です。


説話集の中にも扇の話が出てきます。

貴族のお姫様のご主人が出家をして、山の中のお寺にこもってしまい、どこに行ったかわからなくなりました。

ある日、その奥さんが、扇が川上から流れてくるのを見つけて、「これは主人の扇だ」と言って川をのぼっていくと、そこにお寺があってご主人と再会することができたという話です。

人と人を結ぶ、出会うという意味の「あふき」が扇のもとです。

扇はフランスにも輸出されました。

マリー・アントワネットや、ベルサイユ宮殿の貴族の婦人たちが扇を持っています。扇での顔の隠し方や開き方によって「何時にどこどこで会いましょう」というブロックサインになっているのです。

フランス貴族社会はカトリックで、結婚は親や家同士が決めるので、そのかわり不倫はＯＫというダブルスタンダードになっているわけです。

扇は、お祭りや日舞で使ったり、武将も持っていました。

歌舞伎で、織田信長が明智光秀を折檻したのは鉄扇です。

魂と美的センスがある扇は、室町時代に大量生産され、庶民が持つようになりました。

今まで貴族が持っていた美的なものを庶民が日常生活で持てるようになりました。

外国人が驚くのは、日本とオランダでは庶民の家に絵が飾ってあることです。

美術が非日常でなく日常なのが日本とオランダの特徴なのです。

フェルメールの時代は絵が小さくなり、庶民が家に絵を飾るようになりました。

これは、宗教改革でオランダがプロテスタントになり、教会に絵を飾れなくなったために、各自が家に絵を飾るようになったことも1つの理由です。

日本では、扇の文化から、個人個人が自分の絵を持ち歩くようになりました。

現代のスマホの待ち受け画面と同じです。

SNSで自分のお気に入りの写真をみんなに見せるという習慣は、扇が原点になっているのです。

扇は限られたスペースなので、フレーミングしたり、トリミングするという文化が生まれました。

その文化が浮世絵につながっていくという経由があるのです。


扇は、本来は冷風を起こすための道具でした。

それがやがてアートを見せるものになり、春夏秋冬で季節感を出す絵を描くようになりました。

扇は、室町時代には大量生産され、江戸時代には町で売り歩いていました。

扇が人々のファッションの一部として取り入れられたのです。

気品のある人は、扇を夏だけではなく冬にも使います。

自分の美的表現として扇を持ち歩くことが気品につながるのです。

34 冬の扇を楽しもう。

35 詩を感じることができるようになる。

気品のある人は、暗唱できる詩を持っています。

太平洋戦争の時に、学徒出陣で神風特攻隊になった人は、みんな短歌を辞世で詠みました。

お母さんへの手紙の中に、辞世の歌が書いてあるわけです。

20歳前後の年齢であれだけの辞世の歌が書けるのは、よほどの気品です。

いざ自分が死出の旅に出るという時に俳句、短歌を詠めるかどうかは、好きな詩を自分の中に持っているかどうかで決まります。

カラオケで持ち歌があるように、「好きな詩を暗唱し合おう」と言った時に「僕は

これが好きなんだよね」と、さっと詩が出てくる人は気品があります。

国語の教科書には最初に詩があります。

受験では論説文が問題の中心です。

暗唱できる詩を持っている人と持っていない人とにくっきり分かれます。

あらゆる芸術の根本は詩なのです。

詩からインスパイアされて彫刻・絵画・音楽をつくるという原点になります。

フランスの上流家庭では、親が子どもたちに「お客様が来ているから、あなたの得意な詩を暗唱してあげて」と言う習慣があります。

子どもは、「私はこの詩が好きだから」と、さっと暗唱します。

シェークスピアの戯曲も、韻を踏んでいる長い詩です。

イギリスでは、何か有名なセリフや詩の一節を言った時に、「それはマクベスですね」「それはテンペストですね」と、お互いにわかります。

これは映画の中にもたくさん出てきますが、スルーしやすい部分です。
外国人が両手の人差し指と中指を曲げて前に見せるポーズは「引用」という意味です。
映画の登場人物は、「これは○○の詩だな」とわかると引用のポーズをします。
詩の暗唱がセリフの中に出てくるのです。
気品のある人になるためには、暗唱できる詩を持つことです。

美術館で大人の気品を身につける工夫

35 暗唱できる詩を持とう。

36 死を受け入れることができるようになる。

西洋絵画の格付は、上から、歴史画→肖像画→風俗画→風景画→静物画という順番です。

静物画は、花や野菜を描きます。

描いた花や野菜は、どんどん朽ちていきます。

「メメント・モリ（死を思え）」が、静物画の本来の根本精神なのです。

日本の美意識では「もののあわれ」です。

仏教では「諸行無常」です。

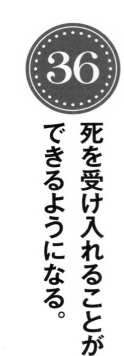

たとえば、伊藤若冲は京都の八百屋さんの問屋の息子でした。

野菜は商売道具です。

伊藤若冲は、野菜が虫に食われた跡も描いています。

普通は、虫に食われた跡を描く必要はまったくありません。

虫に食われた跡を描くことで死を連想させるのです。

キリスト教絵画の代表的なものに磔刑図があります。

キリストが十字架にはりつけられ、手足をくぎで刺されている絵です。

磔刑図を初めて見た人は、「外国人は残酷な絵を描くんだな」と思いがちです。

実際は、イエス様が人間の原罪をすべて代表して死んでくれていることがわかる絵です。


死を意識できるのです。


気品のある人は、死を生と同じように考えることができます。

常に死を意識しているのです。

これが武士道の気品です。

気品のない人は、死は遠いものと思い込んでいます。

今ここに生もあれば死もあると考える人は、生き方が謙虚になります。

死を遠いものと感じていると、傲慢になります。

死を意識すると、時間に価値が生まれるのです。

今、生きている時間をありがたいと感じます。

余命宣告を受けた人は、目の前に食事を出された時に、「あと何回食べられるだろうか」「これがなかったら自分は死んでしまう。ありがたいな」と意識します。

精進料理を食べる時は、「頭の上に持ち上げて、自分はこれを食べる資格があるか9回問うてみよ」という教えがあります。


死を意識できると、気品が生まれるということです。

武家に気品があるのは、死と隣り合わせに生きているからです。

武士は、腰に差している刀を抜いたら切腹です。

美術館で大人の気品を身につける工夫

36

死を意識しよう。

たとえ自分が果たし合いで勝っても、刀を抜いてしまうと切腹なのです。

国宝のうち1割は日本刀です。

三種の神器の1つも刀です。

刀は、常に死と隣り合わせにあります。

これは、命と隣り合わせという意味でもあります。

「一歩間違えばこれで死ぬんだな」「今の命はありがたい」と感じられる人は、気品があるのです。

37

気品とは、気づくことができることだ。美術館は、気づかせてくれる。

気品があるかどうかは、物事に気づくかどうかの違いです。
気づく人は気品が出ます。
気づかない人は、「当たり前じゃない」と感じて終わりです。
世の中には、当たり前のものはありません。

島根県の足立美術館は、外国人が訪れたい庭園の日本一です。
広大な庭園に木がありますが、落ち葉は1つも落ちていません。
開館前に、庭師の人たちが全部きれいに掃き清めているのです。

そこに何かがないことに気づけるのが気品です。

あるものには誰でも気づけます。
落ちているはずの落ち葉がないことに気づけることが気品です。

お茶室には「つくばい」という水をためておく手水鉢があります。
たとえば、つくばいに赤い紅葉が１つ入っていました。
その時、「水に葉っぱが入っている」と、よけようとするのはＮＧです。
赤い紅葉がデザインとして置いてあることに気づけるのが気品なのです。
美術館に行くと、「なぜこれはこうなんだろうか」と考えるようになります。
私はＣＭの世界に生きていました。
ＣＭは15秒しかありません。
ＴＶ画面も映画のスクリーンに比べると小さいです。
小さい画面の中にあるものにはすべて意味があります。
意味のないものは１つも入れません。

美術館で大人の気品を身につける工夫

37

美術館で、気づき力をつけよう。

美術も、フレーミングの中にあるものにはすべて意味があります。

フレームの中にないものにも理由があります。

余白は、ただ何もないということではありません。

余白は、何かをきわ立たせるためにあるのです。

気品のある人は、無限の何かを表現するために余白になっているということを味わえます。

見えないものを見ることこそが気づき力なのです。

38 いつも見ているものの今日の違いに気づける。

日本の代表的な芸術の1つとして民芸品があります。

民芸品は、西洋では芸術品の1つ下のランクに置かれていました。

20世紀になり、「それって凄くない？」と西洋で始めたのがマルシェル・デュシャンです。

デュシャンは、デパートで買った便器に「R.Mutt」の署名と、「1917年」の年号を書いて、タイトル『泉』という作品を出しました。

その作品について、別名の美術評論家のフリをして、「便器なんていうものは芸術品じゃない」と、自分で反論しました。

元祖炎上商法です。

これは、芸術とは何かという問題提起です。

「芸術とは見るものだけではなく、考えるものである」と打ち出したのがマルシェル・デュシャンなのです。


日本では、千利休が同じことをしています。

小田原攻めの時に豊臣秀吉に「花生けをつくれ」と言われた千利休は、山へ行き、傷がついている竹をわざわざ持ってきました。

普通は傷がない竹を使うのに、傷がある竹を使って「園城寺」という名前をつけました。

園城寺の鐘は、ひびが入っているのです。

千利休が「大津の園城寺の鐘に見立てた竹の花生けです」と、芸術作品にしたのが、マルシェル・デュシャンに先行すること３００年前です。

マルシェル・デュシャンと時を同じくして、日本でも柳宗悦の民芸運動が起こりました。

「名もなき人がつくった日用品は凄い」と、民芸品のよさを見出したのです。

柳宗悦の根本精神は、「今見る、いつ見るも」という言葉に象徴されます。

「いつも何げなしに見ているものを今、もう1回、見直してごらん。凄いよ」という意味です。

ふだん使っているものほど、美を忘れてしまいがちです。

めったに見ないものは、すぐに「美しいな」と思います。

いつも見慣れているものは、本当は美なのに、その美を見過ごしてしまうのです。

たまに見るものを「美しい」と言うのではなく、いつも見ているものの美しさに気づけるのが気品のある人です。

日用品を見て、「これ、きれいだね」「美しいね」「よくこの形になったね」と、気づけるようになることです。

作者不明で、ブランド品ではなくても、美しい形のものは身のまわりにたくさんあります。

その美しさに気づくことが、美にこだわるということなのです。

美術館で大人の気品を身につける工夫

38

日常の中に、美を楽しもう。

39 芸術家は、異界の翻訳者だ。異界に接することで、生きる力が湧いてくる。

多くの日本人にとって、難しくてハードルが高いのはお能です。
お能は、外国人の方は寝ないで最後まで見ています。
日本人は寝てしまうのです。
外国人は、お能を1つの無言劇として見ます。
どうせ日本語がわからないからです。
日本人は、何か理解しようと思いながら見てしまうから難しいのです。

お能は、稲川淳二さんの怪談と同じです。

お能には、ワキとシテの二人の登場人物が出てきます。

シテは主人公です。

ワキは、脇役ではありません。

ストーリーテラーです。

シテが、日常生活の中でつらいことがあって旅に出ます。

そうすると、ある土地へ来た時にワキに出会うのです。

ワキは地元の人で、無念なことがあった亡霊です。

稲川淳二さんの話に出てくる霊です。

シテが「何があったんですか」と聞くと、ワキが「今は昔、こんな無念なことがあった……」と、話が始まるわけです。

先住民たちが、後から来た人たちに征服された無念を語るのです。

ひと通りの話を聞き終わると、ハッピーエンドではありません。

旅人としてのシテが、ワキの死の世界に接することによって、自分の生にもう1回気づき始めるのです。

「うわ、凄いことがあるな」と思いながらも、もう一度生き直してみようと生きる勇気が湧いてくるのが、お能の物語なのです。


お能は、すべての物語の原型です。

今のハリウッド映画やシェークスピアの戯曲も、お能の物語と同じつくりです。

ギリシャ悲劇は、いかにして戦争に負けたか、栄えた国が滅びたか、栄えた王が敗れたかという没落の歴史を語ります。

そんなにつらい話をみんなが見るのは、「自分は生きているな」と思えるからです。

稲川淳二さんの話を聞いた人たちはみんな、出口で笑っています。

面白い話はひとつもしていないのにです。

それでも、笑ったり、体温が少し上がって帰るのです。

これが稲川淳二さんの優しさです。

稲川淳二さんはお能におけるワキの役をしているのです。

霊の話を観客に通訳する係です。

いきなり霊が話し出すとビックリするから、稲川淳二さんを通して聞くという構造になっているのです。

お能も難しいと感じるのではなく、稲川さんの怪談を聞きに行くような気持ちでいると、聞き方が変わります。

これが異界の楽しみ方です。

媒介者を通して異界を楽しめばいいのです。

そうすると、やがて自分が媒介者になれます。

気品のある人は、異界との媒介者なのです。

美術館で大人の気品を身につける工夫

39 異界を楽しもう。

40 建物が、芸術品だ。

美術館に行く時の1つの味わい方は、建物を見ることです。
つい美術作品ばかりを見ますが、建物がすでに美術作品なのです。
単に美術作品を置くだけなら、倉庫でもいいのです。
美術作品には、額縁だけでなく、美術作品の空間を包み込む美術館が必要です。
大仏を取り囲む大仏殿のように、美術作品を支えうる建物が大切なのです。
建築家は美術館のコンペにチャレンジします。
貴族は、美術作品に負けない宮殿をつくりました。
それが今日の美術館になっているのです。

美術館で大人の気品を身につける工夫

40

美術館の建物自体を、味わおう。

たとえば、日本でもホテル雅叙園東京の「百段階段」があります。
展示物よりも、展示してある部屋の方がもっと凄いのです。
当時の日本画壇の二大潮流の作品がある凄い建物なのです。
同じく目黒近くの庭園美術館は、旧朝香宮邸です。
アールデコの建物ですが、展示物を見てしまうと建物を見過ごしてしまいます。
1度、展示物でなく建物を味わっておくことが大切です。
建物を味わうのが、気品のある人の展覧会へ行く楽しみ方です。
展覧会は、展示物を見ているだけではもったいないのです。

41

気品のある人は、陳列より、展示を味わえる。

展覧会は、作品を陳列しているのではありません。

展示してあるのです。

「陳列」と「展示」とは違います。

「陳列」は、ただ並べるだけです。

「展示」は、ある世界観を持って並べることです。

それによって、「なぜ、これとこれが並べてあるんだろうか」と、展示についての思想を感じるのです。

一流のコレクターは、ただ集めているのではありません。

自分の趣旨を持って集めていくのです。

好きなものだけを集めるコレクターは、一流のコレクターではありません。

一流のコレクターは、好きな作家がいると、その作家の年代によって変化がわかる代表作を集めます。

本当は、「この作家のこの時代の作品が好き」という自分の好みがあります。

それでも、美術史とその作家の人生に沿った集め方をします。

駄作は買いません。

きちんとした、いい作品だけを買います。


コレクターはアドバイザーをつける場合もあります。

ただし、コレクター自身が目利きでないと、まちまちのものを集めてしまうことになります。


展示する人たちが一番こだわるのは、「この絵を何と並べておこうか」ということ

美術館で大人の気品を身につける工夫

41

世界観を味わおう。

作品を見る人は、世界観まで味わえるようになると気品が生まれます。

気品のある人は、1枚の絵を見るのではなく、絵と絵の間を楽しめるのです。

です。

42

美しいから、美しく使うのではない。美しく使うから、美しいのだ。

気品のある人は、道具の使い方が美しいです。

それは、高級だから美しくなるのではありません。

値段にかかわらず、美しく使うから美しいものになっていくのです。

禅寺の掃除道具はきれいです。

掃除道具の手入れをしているからです。

掃除をきれいにするためには、掃除道具をきれいにすることです。

私は飲食店の研修に行くと、まずバックヤードを見ます。

「あっ、そこは見ないでください」という場所を一番見たいのです。

そういう場所は、ホテルでもレストランでもあります。

レストランを始めた友達に、「ちょっと見に来て、アドバイスして」と言われました。

私がお店を見に行って、「こっちがバックヤード？」と言うと、「あっ、そこはあけないで」と、とめられました。

その場所を見ると、残念なのです。

私は、「ここをきれいにしてごらん。店の空気が変わるよ」とアドバイスしました。


同じように、**美しいものを持ちたいなら、まず今あるものを美しく使うことです。**

料理が上手な人は、台所がきれいです。

料理が好きな人かどうかは、台所がどれぐらいきれいかでわかります。

料理に興味のない人は、台所が汚れています。

美しいから美しいのではなく、美しく使うから美しくなるのです。

美しいものだから美しく使うのではありません。
順番が違います。
気品のある人は、美しく使って、どんどん美しくしていくのです。

美術館で大人の気品を身につける工夫

42 美しく使おう。

43

違和感のハーモニーを、味わう。

美術館に行くと、「あれ、これはなんで？」と気になるものを見つけることがあります。

これは、違和感です。

私が美術の授業をする時に、「何かヘンなことに気づかない？　僕はこれ、ヘンだと思うけどな」と言うと、そこで気づく人と気づかない人がいます。

「あれ、これはなんでこうなんだろう。ちょっとおかしい」と、違和感に気づく人が気品のある人です。

「ちょっとおかしい」と感じることは、作者がわざとそうしているのです。

「こんなにきれいに掃き清められているのに、なぜつくばいに落ち葉があるんだろう。しかも、この赤い葉っぱの木は近所にないぞ」「雨が降っていないのに、なんでここは濡れているんだろう」と気づけるかどうかです。


高級料亭に行くと、お膳のふたの上が濡れています。

「きれいに拭こうよ」と言う人はまだいいのです。

中には、何も気づかない人もいます。

あれは、拭いた跡を水で残すというデザインになっているのです。

ここで、何も気づかないAさんと、「あっ、拭き残しがある」と思うBさんと、「オシャレだね」と気づくCさんに分かれます。

「拭き残しがある」と感じるBさんの方が、チャンスはあります。

「え？　何かありましたっけ」と言うAさんには、チャンスがありません。

これが違和感を感じるかどうかの違いです。

美術館で大人の気品を身につける工夫

43

違和感を味わおう。

違和感から、新しいものが生まれます。

「何かヘン」と感じた時に、このヘンを味わった方がいいのか、ヘンだから、これをもとに何かをしていこうかと考えるのが、気づき力のある人です。

違和感は、決して悪いことではありません。

気品のある人になるためには、違和感からハーモニーをつくっていくことが大切なのです。

44

ただの無造作ではなく、計算された無造作だ。

ジャズは即興ですが、メチャクチャではありません。

「即興」とメチャクチャとは違います。

「即興」は、計算された無造作です。

よく現代アートに対して「なんでこれが何億円もするの？　こんなの誰でも描けるじゃない」と文句を言う人がいます。

気品のない人は、その絵を描くのにどれだけ失敗しているか気づいていないのです。

相田みつをさんの若いころの字はメチャクチャうまいです。

それがやがてあの独特な字になっていくわけです。

中には、「たしかに言葉はいいけど、この字はなんだ」と怒る人もいます。

相田みつをさんは、あの書体にたどり着くまでたくさんの枚数を書いています。

しかも、ほごにした紙が高級な紙なのです。

その紙に何百枚、何千枚と書いて、あの書体にたどり着いているのです。

完成した書体は、無造作に書いた書体ではありません。

ピカソのような抽象系、アクションペインティング、ヘタうま系は、「若いころはうまいけど、だんだんヘタになったね」と言われがちです。

計算された無造作は、計算された造作よりレベル的にもっと難しいのです。

これを味わえるようになると、裏側にあるつくり手の準備に気づけます。

たとえば、パティシエが「今たまたま思いついてこれをつくったんですけど。どうぞ、サービスです」と言ってデザートを出してくれました。

その時、「これは凄く時間がかかっている」と気づけるかどうかです。

「今、思いつきで、ささっとつくってきました」「電子レンジでチンしてつくりました」という言葉をウのみにしないことです。

一流の職人になればなるほど、どれだけ準備していたかは言いません。

一流の人は、「今、ささっとつくりました」と、なんの苦労も、準備も、手間もなくしたように見せます。

そのことに膨大な手間がかかっていることを見抜けるのが気品です。

だからこそ、相手の行為に対して敬意を払えるのです。

美術館で大人の気品を身につける工夫 44

計算された無造作に、気づこう。

Chapter 5

気品とは、学ぶ姿勢にある。

45

芸術は、お客様のアンケートから生まれない。

仕事をしていると、ついマーケティング優先発想になりがちです。

「顧客は今こういうものを求めている。だからこういうものをつくればきっと売れて儲かるに違いない」という発想でモノをつくることと、美術館は対極にあります。

「こういうものを描いたら売れる」という発想で描いている画家は1人もいません。

「どんな絵を描いたら売れますかね」と言う人は画家ではありません。

もちろん、画家には教会や貴族などのスポンサーがいます。

制約の中で、画家は自分のオリジナリティーをなんとか混ぜていこうとします。

「あれもしてはいけない」「これもしてはいけない」「これをしなければいけない」と

いう狭い制約の中で、芸術家はオリジナリティーにチャレンジしているのです。
だからこそ、マーケティングからつくっているものではないのです。

マーケティング原理主義の時代で、アンケートをとり、「こういうビッグデータが出たから、こういうものをつくりましょう」ということに慣れ親しんでしまうと、結局その人はどこまでいっても顧客に満足されません。

顧客満足のためには、サプライズが大切です。

サプライズは、相手が思ってもみなかった無意識を形にすることです。

相手の予想を超えなければならないのです。

これはプレゼントと同じです。

たとえば、女性に「今度の誕生日は何が欲しい？」と聞いて、「私、これが欲しい」と言われたものを買ってあげました。

それでは、たとえ50万円の品物でも「あ、ありがとう」で終わりです。

次の日には、誰からもらったか忘れてしまいます。

「この人からもらった」と覚えているのは、その日に寝るまでの間です。

感動するのは、「エッ、なんでこれが欲しかったのを知ってるの？」と、何も聞かないでプレゼントをあげた時です。

それが欲しかったことは、そのコ自身もわからなかったのです。

自分でも口にできなかった無意識を形にすることが芸術です。

「こういうものが欲しい」とアンケートに書くのは、すでに意識していることです。

人を感動させるのは、言葉にならなかった無意識を形にしていくことです。

読者が感動するのは、「それ、思っていたんだけど、何か言葉を探していた。そういうことを私は言いたかった」と、心の中でモヤモヤして言葉にできなかったことを著者が言葉にしてくれた時です。


無意識をすくい上げ、形にすることが芸術なのです。

45 少数派であることを、恐れない。

46 背伸びをして恥をかくことで、気品が身につく。

「美術館はなかなか敷居が高いんです」と言う人がいます。

敷居が高いからこそ行くのです。

美術館は、背伸びをする世界です。

大教会・大寺院に飾られている作品や、大貴族・大富豪の肖像が展示してあります。

一生かかっても稼げないような高価なものを見るわけです。

そういう美術品に接することによって、凄く背伸びをしたり、時には恥をかいたりします。

お茶会は、恥をかきに行く会です。

「あなた、間違っている」と、はっきり指摘されない世界です。

「器用にしはるね」と言われて、いじられるだけです。

そういう体験を通して、気品を身につけていくのです。

目先のいいカッコしいでは、気品は身につきません。

恥をかくことができるかどうかが勝負です。

恥をかくには、背伸びをする必要があります。

自分より上のクラスに行って、「うわ、何も知らないんだな」と思われたり、「器用にしはる」と言われて恥をかいたり、後で気づいて冷や汗がビッショリ出たという体験をすることで、その人はワンステップ上がります。

ビジネスでは、失敗の積み重ねがワンステップ上がるための方法です。

気品を身につけるためには、恥をかくことの積み重ねが大切なのです。

美術館で大人の気品を身につける工夫

46

敷居の高いところで、恥をかこう。

47

勉強した後に好きなものが、好きなものだ。

よく「好きなものを見たい」と言う人がます。

その好きなものは、「勉強しないで、好きなもの」です。

本当に好きなものは、勉強した後に「やっぱりこれが好きだな」というものです。

絵や音楽で、勉強しなくても好きなものはあります。

その好きをキッカケに勉強を始めると、好きなものは変わることがあります。

「最初はこれ、いまいちだと思ったけど、勉強していくと、だんだんこっちが好きだな」とめぐっていくうちに、最初に好きだったものへ返ることもあります。

同じ好きなものでも、勉強しないで好きなものと、勉強して、1周まわって来た好

きなものとでは、レベルがまったく違います。

気品のない人は、ただの好き嫌いでモノを語ります。

そこには勉強というベースがありません。

気品のある人は、めぐりめぐって、「好きなのはこれ」と言います。

私の駿台予備校時代の古文の高橋正浩先生は、ジャム好きでした。

「ジャムで一番おいしいのは何か知ってる？　イチゴだよ」と教えてくれました。

「凄いこと言うよ。ジャムはイチゴだよ」と言われた時、私は「うわ、これはどういう禅問答だろう」と驚きました。

あまりにも普通のことを言われたからです。

高橋先生は、いろいろなジャムを経てイチゴジャムへ戻ったのです。

イチゴしか知らないのではなく、いろいろなものを経て、「やっぱり自分はイチゴだな」と返ってきた人の「イチゴ」という言葉の重みはまったく違います。

勉強すると王道へ返ってくるのです。

美術館で大人の気品を身につける工夫

47

回り道をしよう。

気品のない人は、ひねったものが好きと、ついマニアックなものを言いがちです。

王道を避けて「オレはこんなに詳しいんだ」と自慢したがります。

勉強している気品のある人が言う王道は、回り道を経て返ってきている分、奥が深いのです。

48 文字の読めない人のためのものではない。文字ではあらわせないもののためにある。

キリスト教は布教の歴史でもあります。

昔は識字率が低く、文字の読めない人がたくさんいました。

文字が読めない人のためにキリスト教絵画や彫刻があります。

布教活動で説明する時に「ほら、こんなにわかりやすいでしょう」という形で表現したのです。

仏教も、仏像や仏画があります。

地獄絵を見せられると、「地獄はこんなに怖いんだ。仏教はありがたい」と考える人がいます。

美術のベースには、祈りがあるのです。

文字の読めない人に説明する道具をもう一歩深めると、文字を読める人が見ても、美術品には文字では表現しきれない世界があるのです。


すべてのものが文字で表現できるという思い込みは勘違いです。

だからこそ、ナマのものに出会う必要があるのです。

レプリカとホンモノとは違います。

レプリカは、カタログで見ても構造がわかりやすく、ネットでもきれいな画像で見られます。

ホンモノは、レプリカと違って波動を感じます。

仏像には、拝んできた人たちの怨念がのっているのです。

美術館で大人の気品を身につける工夫

48

文字では表現できないものを味わおう。

49

芸術品の美しさだけを見ない。

お寺には、池があります。
お寺は火災との戦いの連続です。
火事になると、お坊さんたちは仏像を池に投げ込みます。
火事を消すために池があるのではありません。
火災から仏像を守るために池があるのです。
戦乱に巻き込まれた時も、仏像を池に投げ込んで隠しました。
お寺によっては、お堂の下に埋める穴が掘ってあります。
凄いところは、重い仏像がスイッチ1つでストンと落ちるようになっています。

寄木づくりのものは解体して運びます。

千手観音を解体して運ぶのは大変です。

三十三間堂には、千手観音が１０００体あります。

それらを解体して運ぶと、どれがどの観音様の部分かわからなくなってしまいます。

そうまでして観音様は守られ続けているのです。


明治になると、廃仏毀釈があり、「仏像を燃やせ」と言われました。

フェノロサは燃やされる仏像を見つけて、海外へ持っていったわけです。

地元の村人たちが「これだけは残したい」と、こっそり山の中に埋めて守ることもありました。

「捨てろ。燃やせ。焚きつけにしろ」と言われているものを、隠して残したという強い思いがあるのです。

完成させるのは、つくった人だけではありません。

それを見たり、祈る人たちがいて完成するのです。

美術館で大人の気品を身につける工夫

49

芸術品に込められた思いを感じ取ろう。

芸術品は、ただ美しいだけではなく、敬意や祈りを伴います。

仏像でも、さわられてテカテカになっているものは、人々の願いが込められています。

もともとは漆の上に金が貼ってあるものが、真っ黒けになっている場合もあります。

どれだけ護摩を焚かれて祈られたかという汚れが、日本では値打ちになるのです。

その汚れをきれいにすると、それまでに込められてきた人々の思いを落としてしまうことになるのです。

50 芸術は、時代を先取りする。

芸術は、マーケティングでは生まれないものを生み出します。

芸術は、「これからこうなってほしいね」という世の中の気分の先取りをするものです。

芸術家が生きている間は売れなくて、死んだ後に突然人気が出るのは、時代の空気の先取りをした人たちだからです。

美術館に行くと、これから世の中がどうなるかがわかります。

美術館では、これまでの人類の歴史だけでなく、これからの未来がどうなるかまで予言しています。

10年先の予言だけでなく、1000年先、10000年先の予言も美術館の中にはあります。

われわれは、その美術の本当の値打ちにまだ気づいていない可能性もあります。

「世の中はこれからこうなるよ」と予言してくれていて、やがてそれを読み取る人が出てきたり、世の中がそれに追いついていきます。

未来の予言なので、作品を出した時には評価されません。

今の時代の気分のものをつくる芸術家は、時代が変わると「古いね」と言われて消えていきます。

一世代前のケータイやパソコンが古くなり、遅いと感じるのと同じです。

芸術品には、新しい・古いという発想は当てはまらないのです。

美術館で大人の気品を身につける工夫

50

芸術で、時代を先取りしよう。

51 気品とは、学ぶ姿勢にある。

教養の勉強は膨大にありすぎて、「勉強が足りない」と挫折してしまう人がいます。

気品とは、持っている知識の量ではありません。

すべての人から学ぼうとする姿勢が気品です。

たとえば、時計を修理に出しました。

その時に、「これはどういう仕組みになっているんですか」「これを直すのはどういう職人さんですか」と教わりに行けばいいのです。

時計の修理を通して、時計にこめられた恐るべき神秘のメカニズムや職人さんの超絶技巧や思いを学ぶことが大切です。

これが気品につながるのです。

「自分はこんなに詳しい」と言うのは気品がありません。

「私は知らないから、もういいです」と言うのも気品がありません。

気品があるかどうかは、今の知識の量ではなく、何か1つでも学んでいこうとする姿勢があるかどうかで分かれるのです。

電車の中で本を読む人は、立っています。

座っている人がスマホでゲームをしているのです。

普通は、座っている人のほうが本を読んでいるという絵を想像しがちです。

実際は、本を読んでいる人は、席があいていても座りません。

私もその気持ちはわかります。

座って本を読んでいる時に、目の前におばあちゃんが立つと、立って席を譲る必要があります。

それでは、本に集中できません。

最初から立っていれば大丈夫です。

学ぼうとする姿勢のある人は、気品が生まれます。

美術館に来て、礼儀正しく、横柄でない人は、学ぼうとする人です。

その人は、お店屋さんに行っても礼儀正しいです。

お店に入る時は「拝見します」と言い、帰る時は「ありがとうございました」と言います。

気品のある人は、お店に置いてあるものを勝手に触りません。

ソフトクリームをなめながらブランドショップに入るということはしないのです。

美術館で大人の気品を身につける工夫

51 教えるより、学ぼう。

52

音を聞くのではない。音と音の間に、音楽がある。

音楽で大切なことは、音を聞くことではありません。

音と音の間にあるものが音楽だからです。

たとえば、歌舞伎の雪が降る場面では、「ドン　ドン　ドン　ドン」と太鼓を鳴らします。

『仮名手本忠臣蔵』の討ち入りの場面で「ドン　ドン　ドン　ドン」と太鼓が鳴ると、日本人は「雪が降っているんだな」と感じます。

時代劇で一番なじみがあるのは、お城で将軍がお成りになる時に太鼓がドーンと鳴るシーンです。

私があるお城に行くと、太鼓が鳴っていました。

その時に、「ちょっと待て」と思ったのは、太鼓が「ドンドンドンドン」と、短く速い間隔で鳴っていたからです。

その太鼓の叩き方は、西洋人のロックの叩き方です。

太鼓は、ドンと鳴ってから音が消え行くまでの間に味わいがあるのです。

お寺の鐘がせわしなくゴンゴン鳴るのは味がありません。

火事を知らせる鐘は、カンカンカンの後に1拍あけるのがコツです。

その時に「大変だ」と思うのです。

「カンカンカンカンカンカンカンカン」と鳴り続けると、人々にあまり響きません。

火事の鐘は、「カンカンカン　カンカンカン」と間があくから、「何か大変なことが起こっている」と人の心を動かすのです。

人は、音と音の間を聞いているのです。

ベートーベンの『運命』も、ダダダダーンの前に休符があります。

「ウン　ダダダダーン」となるから、凄く運命的に感じるのです。
指揮者は、沈黙をつくるのが仕事です。
そのために手をとめて、ためるのです。
指揮者は、オーケストラの中でたった1人、鳴り物を持っていません。
そのかわり、沈黙という音を出すことができます。
日本は音の余白を味わうという文化があります。
音と音の間を味わえるのが気品なのです。

美術館で大人の気品を身につける工夫

52

音と音の間を、味わおう。

53 習うことで、鑑賞できる。

鑑賞をもっと深めたいと思うなら、習うことです。

「字を味わいたい」「ダンスを味わいたい」「絵を味わいたい」と思うなら、実際に習いに行けばいいのです。


江戸時代は、文化が爛熟していました。

江戸時代の目標は平安時代です。

日本のこれまでの文化の中で平安時代と江戸時代は、庶民の文化も爛熟した時代でした。

江戸時代に庶民の間で一番流行ったのはカルチャーセンターです。

江戸時代は、みんなが習いごとをしていたのです。

習いごとをすると、難しさがわかるから芸術の底上げが起こります。

本当に味わいたいと思ったことを自分で習ってみると、「簡単そうに見えてこれは難しいんだな」とわかります。


サッカーを一番味わえるのは、サッカーをしている人です。

サッカーをしていない人は、「なんであんな大きいゴールに入らないんだ」「キーパーはなんでとめられないんだ」と、文句を言います。

気品のある人は、実際に体験してみればどれだけ難しいかがわかります。


スポーツは、芸術よりわかりやすいです。

芸術は、「あんなものは簡単に描けるわ」と、一見簡単そうに見えるものが実は一番難しいのです。

難しそうに見えるものは、意外に簡単です。
簡単そうに見えるものの難しさに気づけるのが気品です。
だからこそ、芸術家に対してのリスペクトが生まれるのです。

美術館で大人の気品を身につける工夫

53

見るだけでなく、習おう。

54

見せ場は、見せ場でないところにある。

お城の天守閣は、たしかに1つの見せ場です。

実際の見せ場は、お城の下にある石垣・お堀・庭園です。

それと同じように、一見見せ場に見えるところは本当の見せ場ではないのです。

気品のある人は、見せ場以外のところをきちんと見ることができます。

ボールルームダンスの世界で言うと、「ピクチャー・フィギュア」と言って、コーナーで凄い派手な決めのポーズをします。

本当は、そこは一番難しいところではないのです。

美術館で大人の気品を身につける工夫

54

見せ場以外で、頑張ろう。

ジャッジは、ピクチャー・フィギュアの前後を見ます。

たとえば、殺陣の立ちまわりの凄さは、その速さではありません。

立ちまわりが終わった後に、息がひとつも乱れていないところが一番いいのです。

体操は、超絶演技をしているところではなく、終わってピタッととまるところが一番大切です。

フィギュアスケートも、スピンを跳んでいる瞬間ではなく、跳ぶ前と跳んだ後で、何ごともなかったかのように滑るのが一番の見せ場です。

クロウトが見ている見せ場は、見せ場ではないことがほとんどです。

気品のある人は、一見見せ場ではないところが本当の見せ場だと気づいて、その部分を評価し、味わい、リスペクトすることができるのです。

55

気品とは、在庫も持たず、税金のかからないものを持つことだ。

気品には、税金がかかりません。

税理士さんに「美術の知識には税金かかりますか」と聞くと、「かかりません」と言われました。

「お金を稼いでいる人は税金がかかりますか」と聞くと、「それはかかります」と言われました。

銀行に貯金していると、逆金利の手数料が取られます。

頭の中の知識や体験には、税金がかかりません。

税金は、形のあるものにかかる仕組みになっているからです。

本当に大切な知識・鑑識眼・体験にはまったく税金がかからないのは申しわけない気持ちになります。

税金に文句を言う人は、美術館に行けばいいのです。
貯金を鑑識眼にかえれば税金はかかりません。
小金をためたり、稼いでいるから、税金を取られるのです。
さらにいいことは、どんなに鑑識眼を持っていても倉庫がいらないのです。
たとえば、クルマを買うとガレージが必要です。
駐車料金や自動車税、ガソリン代もかかります。
知識には税金はかかりません。
それが税金の仕組みです。

いまだかつて、1つの経済の歴史として、その人の持つ芸術的なセンスに関して税金がかかった時代はありません。

もっといいことは、**貯金は使うと減るのに対して、鑑識眼は使えば使うほど増えます。**

税金のかからない鑑識眼を持たないのは、もったいないことなのです。

美術館で大人の気品を身につける工夫

53

使っても、なくならないものを持とう。

56

明日古くなる情報より、一生使える知識を持つ。

情報化社会は、ネットで調べれば情報はいくらでも手に入ります。
「情報」と「知識」とは違います。
美術に関しての知識は、一生使えます。
古くならないのです。
ネットで仕入れた情報は、明日には古くなります。
本なら、瞬間ベストセラーでもロングセラーにはなりません。
ネットで得た知識は、みんなが手に入れることができます。
美術に関する知識は、その人の体験や教わった先生によって変わります。

知識には、自分しか持てないオリジナリティーがあります。

情報では、人間はワクワクしたり、燃えたりしません。

美術は、人を燃えさせることができます。

「こんなものは芸術じゃない」と怒っている人も、ある意味、燃えているのです。

「なんでこんなものが！」と叩き割ろうとして警備員に捕まっている人は、ある意味、興奮しているわけです。

特に現代アートは、なかなか理解できない部分があります。

情報は、時にはだまされることがあります。

美術は、だまされることも面白味として味わえます。

トロンプ・ルイユは、手品と同じように「ウワッ」とイリュージョンを見せられるだまし絵の世界です。

絵によっては、「リアルに描かれているな」と思ってそばに寄ると、けっこう雑に描いている場合もあります。

離れて見ると、写真のように描かれているものでも、そばに寄ると絵の具で雑に描かれていたりします。

情報はだまされるとムッとしますが、美術はだまされてワクワクできるという面白味があるのです。

美術館で大人の気品を身につける工夫

56

情報にだまされるより、知識を面白がろう。

57

エピローグ

高額な絵を買える人より、味わえる人になる。

「自分はお金がないから、美術品を買うことができない」と言う人がいます。

お金持ちで高額な絵が買えても、その絵を味わう力を持っていなければ、ただ持っているだけにすぎません。

一方で、その絵を買うことはできなくても、美術館に行って見て、「わぁ、いいな」と味わえる幸せもあります。

どちらを選ぶかは自由です。

たとえば、1億円の絵があります。

1億円の絵を味わう力がなくても買える人になりたいのか、1億円の絵は買えなくても、味わう力を持っている人になりたいのかです。

どちらをカッコいいと思って目指すかです。

絵を買えるぐらい稼ぐことを目指して生きていくのか、味わえるようになろうと考えるのかで、人生は2通りに分かれます。

味わえるようになるためには、まず美術館に行くことです。

美術館を自分で持つ必要はまったくありません。

昔は王侯貴族しか見ることができなかった作品を見られるという恩恵を享受できるチャンスを逃すのは、もったいないです。

美術館に行くかどうかは、味わえる人になるか、その間に仕事をして絵を買える人を目指しているかの二股に分かれるということです。

買える人をうらやましがる必要はありません。

自分が絵を描ければ一番いいのです。
たとえ描けなくても、味わえることが大切です。
1つの作品は、半分はつくる人、半分は味わう人の共同作業で完成します。
美を味わうことは、画家が絵を描いているのと同じです。
美を味わうことは、気品のある創造活動なのです。
気品をつけるために、美術館に行くのではありません。
美術館に行っているうちに、気がついたら気品がついているのです。
子どもの頃、美術館に連れて行ってくれた父親に感謝します。

美術館で大人の気品を身につける工夫

57 買える人より、味わえる人になろう。

中谷彰宏主な作品一覧

『1秒で刺さる書き方』（ユサブル）
『なぜあの人には「大人の色気」があるのか』（現代書林）
『昨日より強い自分を引き出す61の方法』（海竜社）
『状況は、自分が思うほど悪くない。』（リンデン舎）
『一流のストレス』（海竜社）
『成功する人は、教わり方が違う。』（河出書房新社）
『名前を聞く前に、キスをしよう。』（ミライカナイブックス）
『なぜかモテる人がしている42のこと』（イースト・プレス　文庫ぎんが堂）
『人は誰でも講師になれる』（日本経済新聞出版社）
『会社で自由に生きる法』（日本経済新聞出版社）
『全力で、1ミリ進もう。』（文芸社文庫）
『「気がきくね」と言われる人のシンプルな法則』（総合法令出版）
『なぜあの人は強いのか』（講談社＋α文庫）
『大人になってからもう一度受けたい　コミュニケーションの授業』（アクセス・パブリッシング）
『運とチャンスは「アウェイ」にある』（ファーストプレス）
『大人の教科書』（きこ書房）
『モテるオヤジの作法2』（ぜんにち出版）
『かわいげのある女』（ぜんにち出版）
『壁に当たるのは気モチイイ　人生もエッチも』（サンクチュアリ出版）
書画集『会う人みんな神さま』（DHC）
ポストカード『会う人みんな神さま』（DHC）
『サクセス&ハッピーになる50の方法』（阪急コミュニケーションズ）

【面接の達人】（ダイヤモンド社）

『面接の達人　バイブル版』

『ファーストクラスに乗る人のお金２』
『ファーストクラスに乗る人の仕事』
『ファーストクラスに乗る人の教育』
『ファーストクラスに乗る人の勉強』
『ファーストクラスに乗る人のお金』
『ファーストクラスに乗る人のノート』
『ギリギリセーーフ』

【ぱる出版】
『粋な人、野暮な人。』
『品のある稼ぎ方・使い方』
『察する人、間の悪い人。』
『選ばれる人、選ばれない人。』
『一流のウソは、人を幸せにする。』
『セクシーな男、男前な女。』
『運のある人、運のない人』
『器の大きい人、器の小さい人』
『品のある人、品のない人』

【リベラル社】
『50代がもっともっと楽しくなる方法』
『40代がもっと楽しくなる方法』
『30代が楽しくなる方法』
『チャンスをつかむ　超会話術』
『自分を変える　超時間術』
『一流の話し方』
『一流のお金の生み出し方』
『一流の思考の作り方』

【秀和システム】
『人とは違う生き方をしよう。』
『なぜ　あの人はいつも若いのか。』
『楽しく食べる人は、一流になる。』
『一流の人は、○○しない。』
『ホテルで朝食を食べる人は、うまくいく。』
『なぜいい女は「大人の男」とつきあうのか。』
『服を変えると、人生が変わる。』

【日本実業出版社】
『出会いに恵まれる女性がしている63のこと』
『凛とした女性がしている63のこと』
『一流の人が言わない50のこと』
『一流の男　一流の風格』

【主婦の友社】
『輝く女性に贈る　中谷彰宏の運がよくなる言葉』
『輝く女性に贈る　中谷彰宏の魔法の言葉』

【水王舎】
『なぜあの人は「教養」があるのか。』
『「人脈」を「お金」にかえる勉強』
『「学び」を「お金」にかえる勉強』
『結果を出す人の話し方』

【毎日新聞出版】
『あなたのまわりに「いいこと」が起きる70の言葉』
『なぜあの人は心が折れないのか』

【大和出版】
『「しつこい女」になろう。』
『「ずうずうしい女」になろう。』
『「欲張りな女」になろう。』
『一流の準備力』

【すばる舎リンケージ】
『好かれる人が無意識にしている言葉の選び方』
『好かれる人が無意識にしている気の使い方』

【ベストセラーズ】
『一歩踏み出す５つの考え方』
『一流の人のさりげない気づかい』

『お金の不安がなくなる60の方法』（現代書林）

中谷彰宏主な作品一覧

『ラスト3分に強くなる50の方法』
『答えは、自分の中にある。』
『思い出した夢は、実現する。』
『面白くなければカッコよくない』
『たった一言で生まれ変わる』
『スピード自己実現』
『スピード開運術』
『20代自分らしく生きる45の方法』
『大人になる前にしなければならない50のこと』
『会社で教えてくれない50のこと』
『大学時代しなければならない50のこと』
『あなたに起こることはすべて正しい』

【PHP研究所】
『なぜあの人は、しなやかで強いのか』
『メンタルが強くなる60のルーティン』
『なぜランチタイムに本を読む人は、成功するのか。』
『中学時代にガンバれる40の言葉』
『中学時代がハッピーになる30のこと』
『14歳からの人生哲学』
『受験生すぐにできる50のこと』
『高校受験すぐにできる40のこと』
『ほんのささいなことに、恋の幸せがある。』
『高校時代にしておく50のこと』
『中学時代にしておく50のこと』

【PHP文庫】
『もう一度会いたくなる人の話し方』
『お金持ちは、お札の向きがそろっている。』
『たった3分で愛される人になる』
『自分で考える人が成功する』

【だいわ文庫】
『いい女のしぐさ』
『美人は、片づけから。』
『いい女の話し方』
『「つらいな」と思ったとき読む本』
『27歳からのいい女養成講座』
『なぜか「HAPPY」な女性の習慣』
『なぜか「美人」に見える女性の習慣』
『いい女の教科書』
『いい女恋愛塾』
『やさしいだけの男と、別れよう。』
『「女を楽しませる」ことが男の最高の仕事。』
『いい女練習帳』
『男は女で修行する。』

【学研プラス】
『美人力』(ハンディ版)
『嫌いな自分は、捨てなくていい。』

【あさ出版】
『孤独が人生を豊かにする』
『「いつまでもクヨクヨしたくない」とき読む本』
『「イライラしてるな」と思ったとき読む本』

【きずな出版】
『しがみつかない大人になる63の方法』
『「理不尽」が多い人ほど、強くなる。』
『グズグズしない人の61の習慣』
『イライラしない人の63の習慣』
『悩まない人の63の習慣』
『いい女は「涙を背に流し、微笑みを抱く男」とつきあう。』
『ファーストクラスに乗る人の自己投資』
『いい女は「紳士」とつきあう。』
『ファーストクラスに乗る人の発想』
『いい女は「言いなりになりたい男」とつきあう。』
『ファーストクラスに乗る人の人間関係』
『いい女は「変身させてくれる男」とつきあう。』
『ファーストクラスに乗る人の人脈』

『もう一度会いたくなる人の聞く力』
『【図解】仕事ができる人の時間の使い方』
『仕事の極め方』
『【図解】「できる人」のスピード整理術』
『【図解】「できる人」の時間活用ノート』

【PHP文庫】
『入社３年目までに勝負がつく77の法則』

【オータパブリケイションズ】
『レストラン王になろう２』
『改革王になろう』
『サービス王になろう２』

【あさ出版】
『気まずくならない雑談力』
『なぜあの人は会話がつづくのか』

【学研プラス】
『頑張らない人は、うまくいく。』
文庫『見た目を磨く人は、うまくいく。』
『セクシーな人は、うまくいく。』
文庫『片づけられる人は、うまくいく。』
『なぜ　あの人は２時間早く帰れるのか』
『チャンスをつかむプレゼン塾』
文庫『怒らない人は、うまくいく。』
『迷わない人は、うまくいく。』
文庫『すぐやる人は、うまくいく。』
『シンプルな人は、うまくいく。』
『見た目を磨く人は、うまくいく。』
『会話力のある人は、うまくいく。』
『ブレない人は、うまくいく。』

【リベラル社】
『モチベーションの強化書』
『問題解決のコツ』
『リーダーの技術』
『速いミスは、許される。』(リンデン舎)
『歩くスピードを上げると、頭の回転は速くなる。』(大和出版)
『結果を出す人の話し方』(水王舎)
『一流のナンバー２』(毎日新聞出版)
『なぜ、あの人は「本番」に強いのか』(ぱる出版)
『「お金持ち」の時間術』(二見書房・二見レインボー文庫)
『仕事は、最高に楽しい。』(第三文明社)
『「反射力」早く失敗してうまくいく人の習慣』(日本経済新聞出版社)
『伝説のホストに学ぶ82の成功法則』(総合法令出版)
『リーダーの条件』(ぜんにち出版)
『転職先はわたしの会社』(サンクチュアリ出版)
『あと「ひとこと」の英会話』(DHC)

恋愛論・人生論

【ダイヤモンド社】
『なぜあの人は感情的にならないのか』
『なぜあの人は逆境に強いのか』
『25歳までにしなければならない59のこと』
『大人のマナー』
『あなたが「あなた」を超えるとき』
『中谷彰宏金言集』
『「キレない力」を作る50の方法』
『30代で出会わなければならない50人』
『20代で出会わなければならない50人』
『あせらず、止まらず、退かず。』
『明日がワクワクする50の方法』
『なぜあの人は10歳若く見えるのか』
『成功体質になる50の方法』
『運のいい人に好かれる50の方法』
『本番力を高める57の方法』
『運が開ける勉強法』

中谷彰宏主な作品一覧

ビジネス

【ダイヤモンド社】
『50代でしなければならない55のこと』
『なぜあの人の話は楽しいのか』
『なぜあの人はすぐやるのか』
『なぜあの人の話に納得してしまうのか[新版]』
『なぜあの人は勉強が続くのか』
『なぜあの人は仕事ができるのか』
『なぜあの人は整理がうまいのか』
『なぜあの人はいつもやる気があるのか』
『なぜあのリーダーに人はついていくのか』
『なぜあの人は人前で話すのがうまいのか』
『プラス１％の企画力』
『こんな上司に叱られたい。』
『フォローの達人』
『女性に尊敬されるリーダーが、成功する。』
『就活時代しなければならない50のこと』
『お客様を育てるサービス』
『あの人の下なら、「やる気」が出る。』
『なくてはならない人になる』
『人のために何ができるか』
『キャパのある人が、成功する。』
『時間をプレゼントする人が、成功する。』
『ターニングポイントに立つ君に』
『空気を読める人が、成功する。』
『整理力を高める50の方法』
『迷いを断ち切る50の方法』
『初対面で好かれる60の話し方』
『運が開ける接客術』
『バランス力のある人が、成功する。』
『逆転力を高める50の方法』
『最初の３年その他大勢から抜け出す50の方法』
『ドタン場に強くなる50の方法』
『アイデアが止まらなくなる50の方法』
『メンタル力で逆転する50の方法』
『自分力を高めるヒント』
『なぜあの人はストレスに強いのか』
『スピード問題解決』
『スピード危機管理』
『一流の勉強術』
『スピード意識改革』
『お客様のファンになろう』
『なぜあの人は問題解決がうまいのか』
『しびれるサービス』
『大人のスピード説得術』
『お客様に学ぶサービス勉強法』
『大人のスピード仕事術』
『スピード人脈術』
『スピードサービス』
『スピード成功の方程式』
『スピードリーダーシップ』
『出会いにひとつのムダもない』
『お客様がお客様を連れて来る』
『お客様にしなければならない50のこと』
『30代でしなければならない50のこと』
『20代でしなければならない50のこと』
『なぜあの人は気がきくのか』
『なぜあの人はお客さんに好かれるのか』
『なぜあの人は時間を創り出せるのか』
『なぜあの人は運が強いのか』
『なぜあの人はプレッシャーに強いのか』

【ファーストプレス】
『「超一流」の会話術』
『「超一流」の分析力』
『「超一流」の構想術』
『「超一流」の整理術』
『「超一流」の時間術』
『「超一流」の行動術』
『「超一流」の勉強法』
『「超一流」の仕事術』

【PHP研究所】

「本の感想など、どんなことでも、
あなたからのお手紙をお待ちしております。
僕は、本気で読みます。」

中谷彰宏

〒160-0023　東京都新宿区西新宿8-3-32 カーメルⅠ 301
水王舎気付　中谷彰宏行
※食品、現金、切手などの同封は、ご遠慮ください（編集部）

中谷彰宏は、盲導犬育成事業に賛同し、この
本の印税の一部を（公財）日本盲導犬協会に
寄付しています。

【著者略歴】

中谷彰宏　（なかたに・あきひろ）

1959年、大阪府生まれ。早稲田大学第一文学部演劇科卒業。84年、博報堂に入社。CMプランナーとして、テレビ、ラジオCMの企画、演出をする。91年、独立し、株式会社中谷彰宏事務所を設立。ビジネス書から恋愛エッセイ、小説まで、多岐にわたるジャンルで、数多くのロングセラー、ベストセラーを送り出す。「中谷塾」を主宰し、全国で講演・ワークショップ活動を行っている。

■公式サイト　https://an-web.com

なぜ美術館に通う人は「気品」があるのか。

2020年3月15日　第一刷発行

著　者　中谷彰宏
発行人　出口 汪
発行所　株式会社 水王舎
〒160-0023
東京都新宿区西新宿8-3-32 カーメルⅠ 301
電話　03-6304-0201
本文印刷　新藤慶昌堂
カバー印刷　歩プロセス
製本　ナショナル製本
ブックデザイン　井上祥邦
編集協力　土田 修
編集統括　瀬戸起彦（水王舎）

ISBN978-4-86470-136-5 C0095

中谷彰宏の本

なぜあの人は「教養」があるのか。

中谷彰宏・著

革命家もIT経営者も、教養書を読んでいる。

大人の教養を身につける53の具体例

教養があるかないかは、ひと言話せばわかってしまいます。そして一流の人には必ず教養があるものです。それらを身につけなければ一流の人たちの目に留まることもありません。では教養のある人になるためには、どのようなことを習慣にすれば身につくものなのか。そのためのヒントがたくさん詰まった一冊です。

定価（本体 1300 円＋税） ISBN 978-4-86470-104-4

中谷彰宏の本

「学び」を「お金」にかえる勉強

中谷彰宏・著

学び方を学ぶ人が、稼ぐ。

稼げるようになる 53 の具体例

できないことに対してなんとか代替案を出せる人が稼げるのです。（本文より）稼いでいる人は何を見て、そしてそこからどう学び、活かしているのか—。学校では教えてくれない本当の「学び」のヒントが詰まった 1 冊。年収 1 億円以上稼ぐ人の頭の中身が理解でき、ミリオネアに近づくことができます！

定価（本体 1300 円＋税）ISBN 978-4-86470-029-0